LE BAISER D'UN ÉTRANGER

BARBARA CARTLAND

LE BAISER D'UN ÉTRANGER

Roman

V & O
ÉDITIONS

LE BAISER D'UN ÉTRANGER

Publié en Angleterrre en 1990
par Pan Books Ltd.
Cavaye Place, Londres SW10 9PG
sous le titre original :

KISS FROM A STRANGER

Traduit de l'anglais par Elisa Montaner

(Édition originale : 0 330 31204 9
Pan Books Ltd)
ISBN : 2-87876-010-7
V&O Éditions
27, rue Garnier 92523 Neuilly Cedex

NOTE DE L'AUTEUR

Le décor de ce roman est fidèle à la réalité historique, telle qu'elle apparaît notamment dans *Les années victorieuses* de sir Arthur Bryant.

Les espions de Bonaparte étaient partout et il connaissait l'existence de « l'expédition secrète ». Par contre, il en ignorait la destination.

Avec la perspicacité de son génie, Nelson choisit de faire route à l'ouest dans le sillage de la flotte française. C'était prendre un gros risque, comme il le confia lui-même à son secrétaire :

« *Le blâme retombera sur moi s'ils n'ont pas pris le chemin des Antilles ! Être brûlé en effigie ou enterré à Westminster, voilà mon alternative.* »

Mais il avait raison, et la même année il fut vainqueur à Trafalgar, où il mourut en disant : « *Grâce à Dieu j'ai fait mon devoir* ». Puis il rendit l'âme pour ne faire plus qu'un « *avec la Mer et avec l'Angleterre, à jamais.* »

CHAPITRE I

1805

Shenda se promenait dans le bois, fredonnant un petit air dont la musique semblait venir des arbres. Il faisait chaud pour un mois d'avril. Déjà les bourgeons éclataient de toutes parts, et les jardins du château d'Arrow allaient sans doute lui apparaître dans la splendeur d'une floraison précoce.

Rien n'était plus beau que les taches dorées des jonquilles sous les frondaisons, avec le jaune et le pourpre des crocus perçant le sol encore dénudé par l'hiver. On voyait aussi les grappes blanches ou mauves des lilas fleuris quelques jours à peine avant les buissons blancs des seringas.

Les bois dégageaient un charme secret qui ravissait Shenda, plus sensible encore peut-être au mystère de l'étang qui se cachait en leur milieu, avec ses berges dorées par les soucis des marais et le reflet des iris à sa surface argentée. Chaque fois qu'elle se sentait triste ou solitaire, elle dirigeait ses pas vers ce lieu enchanté, convaincue que des fées l'observaient à l'abri des fleurs, que des lutins se terraient au pied des grands arbres, et bien sûr, que dans ses eaux profondes vivaient en secret des naïades. Elle était fille unique et ses rêves étaient peuplés de créatures irréelles qui lui paraissaient cependant toutes proches. Par chance le bois du Chevalier, comme on l'appelait, finissait en bordure du Presbytère, et tandis que son père préparait ses sermons ou recevait les doléances de ses paroissiens, elle pouvait toujours se glisser hors de la maison pour aller retrouver ses amis invisibles sous les mystérieux ombrages.

Elle se promenait toujours seule, escortée du plus aimé des compagnons à quatre pattes, qui, ce jour-là, ne trottait pas sur ses talons comme il aurait dû le faire, mais courait derrière un lapin débusqué dans le sous-bois qui commençait à peine à reverdir. Rufus s'était lancé à la poursuite du gibier avec tant de promptitude que Shenda n'avait même pas remarqué son absence. C'était un épagneul très petit mais très beau qui, s'il n'avait été confié aux soins de sa maîtresse dès son plus jeune âge, aurait rejoint ses congénères au château d'Arrow, pour y être entraîné à la chasse.

Mais le vieux comte, malade depuis de longues années, n'allait plus à la chasse, et ses fils se battaient au loin contre ce monstre de Bonaparte, qui menaçait maintenant d'envahir l'Angleterre, de sorte qu'on n'entendait plus le moindre coup de fusil dans les bois, ce qui réjouissait fort Shenda. Elle détestait qu'on tuât les animaux, surtout les oiseaux qu'elle adorait et qui semblaient chanter pour elle sur son passage. Elle restait des heures assise près de l'étang magique, à les écouter gazouiller tandis qu'ils venaient boire au bord de l'eau. De fait, elle avait perdu jusqu'au souvenir des mauvais jours d'autrefois, quand à l'automne on entendait les détonations depuis le presbytère, et les gardes se plaindre que les bois fussent envahis de pies, de blaireaux et de renards. Elle aimait ces derniers tout autant que les petits écureuils rouges qui bondissaient sur une branche à son approche et restaient à bavarder en la regardant comme si elle était venue voler leurs noisettes.

Puis le comte d'Arrow était mort, il y avait de cela six mois. Malgré les funérailles grandioses, peu de gens l'avaient pleuré dans le village car on ne le voyait plus depuis longtemps. Pas non plus de détresse particulière à l'annonce de la mort de George, le fils aîné du comte, tué aux Indes plusieurs mois auparavant, même si le docteur avait dit que le vieux comte en avait eu le cœur brisé. « Master George », comme l'appelaient les vieux serviteurs du château, avait passé huit ans à l'étranger, et les jeunes n'auraient su dire à quoi il ressemblait. Son cadet héritait donc du titre, mais là encore, « Master Durwin » avait quitté les lieux dès l'adolescence pour entrer dans la Marine, et personne ne savait très exactement où il était, à l'exception des gens bien informés qui penchaient pour son appartenance à la flotte du blocus des ports français. On avait tout de même entendu récemment citer le nom du capitaine Durwin Bow.

En l'absence des châtelains, les gens du village prirent l'habitude de porter au presbytère leurs plaintes et leurs doléances, puisqu'il n'y avait personne au château pour les écouter. Le régisseur du domaine, qui aurait dû se trouver là pour les entendre gémir à propos du toit qui fuyait, de la pompe qui ne marchait pas ou des fenêtres qui tombaient de leurs embrasures, avait pris sa retraite deux années plus tôt. Perclus de rhumatismes et sourd comme un pot, il ne quittait plus sa maison. Pas plus tard que la semaine précédente Shenda avait entendu l'un des journaliers dire à son père :

– Tous ces bâtiments, y tombent en ruines et en morceaux!

– C'est à cause de la guerre, avait répondu le pasteur.

– Guerre ou pas, j'en suis malade de rafistoler mes murs, et l'chaume su'mon toit il est en mauvais état, et tout à l'av'nant.

Le pasteur avait poussé un soupir d'impuissance et Shenda comprit que la guerre traînait derrière elle un cortège de misères et de privations qui n'épargnait personne. C'était la chasse qui manquait le plus à son père, habitué à courir le renard tous les hivers et autrefois surnommé le « pasteur Nemrod ». Mais les maîtres d'équipage étaient retenus loin de chez eux par le service actif ou se trouvaient dans une telle gêne qu'ils n'avaient plus les moyens de faire courir leurs chiens comme par le passé. Le pasteur n'avait plus que deux chevaux à l'écurie, et encore l'un d'eux était si âgé que Shenda se déplaçait plus vite à pied que sur le dos du pauvre vieux Snowball. D'ailleurs elle aimait la marche, surtout dans les bois, et, pour l'heure, ses pieds sur la mousse paraissaient avoir des ailes tandis que les rayons du soleil traversaient le feuillage pour caresser l'or de sa chevelure.

C'est à ce moment qu'encore perdue dans le monde de ses rêves elle entendit Rufus pousser des jappements aigus ; elle revint sur terre pour s'apercevoir qu'il n'était plus à ses côtés. Il était assez loin, quelque part devant elle, et ses cris lamentables ne s'arrêtaient pas. Affolée, elle courut aussi vite qu'elle put en direction des hurlements, se demandant ce qui avait pu se passer. C'était un bon petit chien qui n'aboyait jamais si elle lui demandait de se tenir tranquille quand son père travaillait dans son bureau. Mais il criait de douleur maintenant, cela ne faisait aucun doute ! Elle finit par le découvrir au pied d'un vieil orme et frémit d'horreur en voyant sa patte coincée dans un traquenard. Il n'y avait jamais eu le moindre piège dans les bois d'Arrow, et elle s'agenouilla près de Rufus qui ne criait plus mais gémissait pitoyablement. Une de ses pattes de devant était prise dans les mâchoires neuves aux dents acérées. Shenda tenta désespérément de les ouvrir mais en vain et se résolut à quérir du secours. Elle expliqua d'une voix douce au petit chien qu'elle allait essayer de trouver quelqu'un pour lui venir en aide, et le caressa tendrement en lui recommandant de ne pas bouger jusqu'à son retour. Habitué à sa maîtresse depuis son plus jeune âge, Rufus parut comprendre ce qu'elle lui disait, et ne chercha pas à la suivre, se contentant de geindre d'un air misérable au moment où elle se relevait pour le quitter. Elle reprit en courant le chemin par où elle était venue pour s'apercevoir bientôt que le village était loin et qu'elle aurait du mal à y trouver de l'aide. Seules les femmes seraient à la maison car à cette heure du jour la plupart des hommes valides étaient aux champs. Elle pensa à son père, mais il était parti tôt le matin même en visite chez une vieille dame qui vivait à deux milles de là et l'avait fait mander d'urgence parce qu'elle se disait mourante. Shenda s'était demandé avec un peu de scepticisme si ce déplacement était aussi urgent que cela, car il arrivait souvent que les femmes du voisinage saisissent le premier prétexte venu pour envoyer quérir un homme beau et charmant comme son père. Elles prenaient grand plaisir à s'entretenir avec lui car sa conversation était agréable et toujours compatissante.

– Ne t'inquiète pas si je ne suis pas de retour pour le déjeuner, avait-il dit avant de partir.

– Je m'étais déjà faite à l'idée de déjeuner seule, avait répondu Shenda. Vous savez bien que Mrs Newcomb aura tué le veau gras en votre honneur, et vous feriez mieux de profiter d'un bon déjeuner quand l'occasion s'en présente!

Son père s'était mis à rire.

– Je ne dis pas que je ne goûterai pas la bonne cuisine de Mrs Newcomb, avait-il dit, mais il me faudra alors écouter poliment la liste interminable de ses misères physiques et morales!

Shenda lui avait mis un bras autour du cou.

– Papa, avait-elle dit, je vous adore quand vous dites ces choses-là qui faisaient tant rire Maman.

Son père l'avait embrassée, mais ses yeux s'étaient assombris à ce rappel de sa mère disparue, et elle s'était reproché son manque de tact.

On ne pouvait imaginer couple plus heureux que celui formé par l'honorable James Lynd et sa ravissante épouse Doreen. Ils avaient tenu à se marier contre le gré de leurs deux familles, et, en dépit des prédictions les plus sinistres, avaient connu des années de bonheur sans nuages.

James était le troisième fils d'un pair du royaume ruiné par l'improductivité de son domaine situé en plein milieu des terres incultes du Gloucestershire. En vivant parcimonieusement et en économisant sou à sou il avait réussi à faire entrer son fils aîné dans le régiment où il avait lui-même servi jadis. Il n'avait pas pu pourvoir à l'établissement de son second fils, infirme de naissance et qui lui coûtait fort cher. Quant à James, le troisième, il s'était vu offrir, avec une paroisse du domaine paternel, un traitement si misérable que c'en était presque une injure. Mais seule, pour James et Doreen, comptait leur passion. Ils étaient venus s'installer dans le modeste presbytère, inconfortable certes mais encore trop petit pour contenir leur amour. Il fallut la naissance de Shenda pour leur inculquer le sens des réalités, et James alla voir l'évêque qui lui proposa la paroisse d'Arrowhead en précisant que le comte d'Arrow avait les moyens d'offrir au titulaire des appointements décents.

James et Doreen furent enchantés de leur nouvelle demeure. C'était une ravissante petite maison élisabéthaine en très bon état. James était non seulement gentilhomme mais aussi excellent cavalier et l'avenir paraissait plein de promesses. Puis la guerre était arrivée et tout avait changé. En 1802, la situation s'améliora quelque peu durant la très provisoire paix d'Amiens, mais bientôt les hostilités reprirent, l'argent se fit plus rare, les problèmes plus nombreux et le coût de la vie renchérit considérablement.

La mère de Shenda mourut d'une pneumonie contractée à la fin d'un hiver long et rigoureux. Elle la revoyait encore, souriante et gaie au milieu d'eux, tandis que son cercueil prenait le chemin du cimetière, suivi de tous les villageois pleurant sa perte.

Shenda s'était donné beaucoup de mal depuis deux ans pour ménager à son père une existence confortable sinon heureuse, et pourtant cela devenait chaque jour plus difficile avec des soucis d'argent de plus en plus grands. Malgré tout son père restait aussi généreux que par le passé avec les gens dans le besoin.

– L'Maît'y donnerait ben sa ch'mise, si quelqu'un la lui d'mandait! avait dit aigrement à Shenda l'un des serviteurs. Il avait raison, mais quand elle en fit la remarque à son père elle vit bien qu'il ne l'écoutait pas.

– Je ne peux tout de même pas laisser ce pauvre homme mourir de faim! disait-il quand elle insistait trop énergiquement.

– Ce n'est pas ce vieux mendiant professionnel de Ned qui finira par périr d'inanition, Papa, mais vous et moi!

– Je suis sûr que nous pouvons nous en sortir, ma chérie, répondait-il, et venait aussitôt en aide à quelqu'autre besogneux.

Elle se préoccupait de sa santé car il sortait par

tous les temps, même en hiver, et ne parvenait pas à se débarrasser d'une toux opiniâtre qui le tenait éveillé la nuit. Elle lui préparait une boisson aux herbes et au miel selon la recette de sa mère mais sans grand résultat. Il avait en réalité besoin de faire trois repas par jour, et c'était un luxe qu'ils ne pouvaient s'offrir.

– Quand le jeune comte sera de retour, avait-elle dit une fois à la vieille Martha, désormais la seule servante du presbytère, peut-être comprendra-t-il qu'il faut augmenter le traitement de Papa pour compenser la hausse des prix, parce que vraiment nous n'y arrivons plus!

– S'i r'vient pas d'ici la fin d'la guerre, répliqua Martha, alors on s'ra tous dans la tombe et y aura personne pour nous pleurer! C'est c'*Boney*, c'est lui, pour sûr!

Shenda se dit que, effectivement, Bonaparte était responsable de tous les malheurs qui frappaient Arrowhead, c'était à cause de lui que deux hommes étaient revenus au village estropiés, l'un manchot et l'autre amputé d'une jambe, à cause de « Boney » que le garde-manger du presbytère était vide.

« Il me faut la force d'un homme, pensait soudain Shenda, et où vais-je le trouver si Papa n'est pas là? »

C'est en atteignant l'orée du bois qu'elle eut la surprise de voir un cheval se diriger vers elle, monté par un gentleman qui avançait lentement, guidant pas à pas sa monture entre les arbres touffus. Elle courut jusqu'à lui et s'aperçut d'un coup d'œil qu'il était encore jeune, portait un chapeau haut-de-forme coquettement incliné sur ses cheveux bruns et une cravate entortillée à la dernière mode autour de son col dont les pointes remontaient bien haut de chaque côté du menton. Cela mis à part il n'était que temps de remercier le ciel qu'il se fût trouvé là.

– Aidez-moi ! dit-elle d'une voix essoufflée, car elle avait couru très vite.

Elle nota que le regard du gentleman s'arrêtait sur sa chevelure en désordre, puis elle vit qu'il attendait et dit en hâte :

– Vite ! s'il vous plaît... venez vite ! mon chien... s'est pris... dans un traquenard !

Le gentleman haussa les sourcils d'un air perplexe devant l'urgence d'une telle requête, mais elle n'attendit pas sa réponse et dit seulement :

– Suivez... moi !

Elle repartit en courant le long du sentier moussu. Rufus était toujours là, immobile et gémissant d'un air misérable. Tout en se laissant tomber à côté de l'animal elle se rendit compte que le gentleman l'avait suivie et descendait de cheval quelques pas en arrière. Il vint près d'elle, jeta un regard à terre et dit :

– Prenez garde, le chien pourrait vous mordre !

C'étaient les premiers mots qu'il prononçait,

mais elle répondit d'une voix tremblante d'indignation :

– Rufus ne va pas mordre. Je vous en prie... ouvrez... cet horrible piège! Il ne devrait ... pas se trouver là!

Elle immobilisait le petit chien tout en parlant, et le gentleman se baissa pour écarter les mâchoires d'acier. Rufus fit entendre un jappement de douleur mais Shenda le prit aussitôt dans ses bras pour le bercer comme un enfant.

– Tout va bien maintenant, c'est fini! dit-elle avec douceur. Cette vilaine chose ne te fera plus de mal, et tu as été très courageux!

Elle le gratta derrière les oreilles et ce geste eut le don d'apaiser Rufus qui adorait ça. Puis elle vit que le gentleman avait sorti de sa poche un mouchoir et qu'il s'agenouillait à côté d'elle pour bander la patte du chien. Elle put alors le voir plus distinctement, maintenant qu'il était tout proche.

– Merci, merci! dit-elle. Je vous suis tellement reconnaissante! Je me demandais... désespérément où j'allais trouver... un homme capable de m'aider!

– Il doit y avoir des hommes au village, répondit le gentleman en pinçant les lèvres.

– Pas à cette heure du jour, répondit Shenda. Ils sont tous au travail.

– Dans ce cas je suis heureux d'avoir pu vous obliger.

– Je ne pourrai jamais... assez vous remercier! dit Shenda.

Mais qui a bien pu poser... cet affreux piège... malfaisant dans le bois? Je n'en avais jamais vu ici auparavant!

– Eh bien je suppose que c'est un moyen de se débarrasser de la vermine! répliqua le gentleman.

– Un moyen bien cruel! s'écria Shenda. Tout animal qui se fait prendre peut souffrir pendant des heures, des jours peut-être avant d'être découvert.

Le gentleman ne répondit pas, et elle murmura comme pour elle-même :

– Comment peut-on vouloir créer... d'autres souffrances... quand le monde en est déjà plein?

– Je pense que vous faites allusion à la guerre, dit le gentleman. Toutes les guerres sont haïssables, mais nous combattons pour défendre notre partie.

– C'est mal de tuer les bêtes... sauf pour se nourrir!

– Je vois que vous faites partie des Réformateurs, remarqua le gentleman, mais les bêtes sont la proie d'autres bêtes. Si on laisse les renards proliférer, ils vont décimer les lapins que vous trouvez sûrement délicieux.

Elle vit qu'il se moquait d'elle mais elle insista en rougissant un peu :

– Pour peu qu'on la laisse faire, la nature crée

son propre équilibre, et je ne puis songer sans souffrir aux renards agonisant durant des heures, ou aux lapins qui se débattent dans les collets jusqu'à s'étrangler!

– C'est un point de vue bien féminin, objecta le gentleman, mais si l'on veut préserver le gibier, il faut bien s'occuper des prédateurs.

Il parlait d'un ton sec et Shenda, voyant que la discussion serait inutile, détourna la conversation :

– Je suis sensible depuis toujours... au charme ainsi qu'à la beauté de cet endroit, mais si les traquenards ou autres pièges barbares doivent m'empêcher d'y revenir, j'aurai le sentiment... d'être chassée du Paradis!

Elle s'adressait plus à elle-même qu'au gentleman en disant cela puis, de peur de provoquer son hilarité, elle se releva calmement, tenant toujours Rufus serré contre elle, et reprit :

– Monsieur, encore une fois merci beaucoup de votre aide, je dois maintenant ramener Rufus à la maison pour nettoyer sa patte afin que sa blessure ne s'infecte pas.

Elle regarda le piège et ajouta :

– Je me demande... si vous m'accorderiez... encore une faveur?

– Et laquelle? s'enquit le gentleman.

– Pas très loin d'ici se trouve un étang magique. Si vous acceptez... d'y jeter ce piège malfaisant... il ne blessera plus jamais... aucun être vivant.

– Ne croyez-vous pas que son propriétaire, qui a dû le payer fort cher, pourrait s'y opposer?

– Il n'en saura rien, répliqua Shenda, et s'il lui en a coûté de l'argent de le poser là... eh bien que ce soit... sa punition!

Le gentleman se mit à rire.

– Très bien, dit-il, puisque vous avez décidé d'être le juge, le jury et le bourreau tout à la fois, l'accusé devra payer le prix de son crime!

Il saisit le traquenard par la chaîne qui le retenait à un piquet fiché en terre, arracha l'ensemble du sol, et demanda :

– Maintenant, dites-moi où se trouve cet étang magique?

– Je vais vous y conduire, proposa Shenda. Elle s'engagea la première sous les grands arbres et ils furent bientôt près de l'étang. Il lui parut plus beau que lors de sa dernière visite deux jours plus tôt, avec ses bords tapissés de soucis et d'iris en rangs plus serrés. Les rayons dorés du soleil traversaient les basses branches pour en éclairer le centre tandis que le pourtour restait mystérieusement dans l'ombre, comme s'il cachait des secrets n'appartenant qu'aux dieux. Le gentleman marcha jusqu'à l'extrême bord et plongea son regard dans les eaux profondes. Il se tourna ensuite à demi vers Shenda qui se tenait debout près de lui. Avec les iris jaunes qui balayaient le bas de sa robe, sa silhouette se détachait sur l'arrière-plan de verdure pour former un tableau que tout artiste eût rêvé de peindre. Ses yeux paraissaient occuper entièrement son petit visage triangulaire, mais ses prunelles, qu'elle tenait de sa mère, au lieu d'être bleues comme celles de la plupart des blondes, surprenaient par leur couleur d'un gris très doux parfois traversé d'éclairs violets. Sa peau d'une blancheur laiteuse apparemment insensible aux effets du soleil lui donnait une beauté céleste et comme impalpable, très différente de celle qu'on admirait chez la « parfaite rose anglaise ». Elle reflétait au contraire admirablement le charme mystérieux émanant des bois et de l'étang, ou encore la lumière du soleil qui jouait dans les rameaux bourgeonnants des vieux arbres.

Pendant un moment ils se dévisagèrent en silence. Si Shenda lui apparaissait incroyablement ravissante et d'une beauté irréelle, elle, de son côté, trouvait ce gentleman fort séduisant. Il avait des traits réguliers bien dessinés, et une peau bronzée comme s'il était resté longtemps exposé au soleil et aux intempéries, et pourtant il y avait en lui une certaine dureté, pensa-t-elle, la dureté de l'homme habitué à commander les autres. Il paraissait tirer sa force de son âme autant que de son corps vigoureux.

C'est alors que semblant vouloir rompre le charme qui les tenait tous deux immobiles et muets, il dit brusquement :

– Voulez-vous que je le jette au milieu de l'étang ?

– C'est là, je pense, qu'il y a le plus de fond.

Il fit tourner le piège au bout de la chaîne et lâcha le tout au milieu d'une gerbe d'eau dont les gouttes irisées volèrent dans les airs, puis la surface à nouveau tranquille de l'étang retrouva ses reflets d'argent.

Shenda poussa un grand soupir.

– Merci infiniment, dit-elle, et maintenant je dois ramener Rufus à la maison.

Elle embrassa du regard la vaste étendue d'eau comme si elle voulait l'emporter avec elle puis, se détournant résolument, repartit par le sentier. Le cheval du gentleman broutait les jeunes touffes d'herbe à l'endroit même où on l'avait laissé. Il attrapa la bride de l'animal et dit :

– Puisque vous devez porter votre chien, je vais vous ramener chez vous sur le dos de ma monture.

Shenda n'eut pas le temps de s'étonner car sans autre commentaire il la saisit dans ses bras pour la déposer sur la selle. Puis il longea le sentier couvert de mousse en tenant le cheval par la bride. Ils cheminèrent en silence jusqu'au moment où Shenda put apercevoir le jardin du Presbytère, devant elle, à l'orée du bois.

Elle pensa qu'il valait mieux éviter d'être vue par les habitants du village en compagnie d'un gentleman à l'allure étrange, et même cacher la mésaventure de Rufus. Si une seule personne venait à apprendre qu'un inconnu l'avait ainsi promenée juchée sur la selle de son cheval, il y aurait sûrement des commérages.

– Monsieur, s'il vous plaît, dit-elle en rompant pour la première fois le silence, nous sommes tout près de chez moi... et j'aimerais... descendre.

Le gentleman immobilisa son cheval, et au moment où Shenda se disposait à se laisser glisser jusqu'à terre, il la souleva dans ses bras pour la déposer sur l'herbe avec la plus grande aisance. Elle ne pesait pas lourd et sa taille était si fine que les deux mains de l'homme l'enserraient presque complètement. A l'instant où ses pieds reprirent contact avec le sol elle dit :

– Merci encore ! Je vous suis... très obligée, et je n'oublierai jamais... vos bontés !

– Quel est votre nom ? demanda-t-il.

– Shenda, répondit-elle étourdiment.

Il ôta vivement son chapeau.

– Eh bien, au revoir, Shenda. Je suis à peu près sûr, à présent que nous avons débarrassé votre monde enchanté des preuves tangibles de la méchanceté humaine et, que désormais vous n'aurez plus peur d'y revenir.

– Je... l'espère... bien, répondit-elle. Elle hésita, cherchant quelque phrase appropriée, mais il intervint d'une voix tranquille :

– Si vous m'êtes vraiment reconnaissante du petit service que j'ai pu vous rendre, il me semble que ma peine mérite récompense.

Elle le regarda d'un air étonné sans

comprendre ce qu'il voulait dire. C'est alors qu'il saisit son visage, le tourna vers le sien et l'embrassa. Elle fut si surprise qu'elle n'eut pas un mouvement de recul. C'était un baiser très doux. Il la libéra aussitôt pour remonter sur son cheval et s'éloigner sans lui laisser le temps de dire un mot ou d'esquisser le moindre geste. En le voyant disparaître derrière les arbres elle crut s'éveiller d'un songe. Avait-elle vraiment reçu son premier baiser d'un parfait inconnu qui se promenait sans permission dans un bois qu'elle avait toujours considéré comme son domaine ? Il s'était évanoui dans le sous-bois en quelques secondes et elle était toujours plantée là, persuadée d'avoir rêvé les péripéties d'un événement qui avait duré le temps d'un éclair. Pourtant le contact de ses lèvres sur les siennes était réel. Cela ne faisait aucun doute, il l'avait bel et bien embrassée !

Un gémissement de Rufus la fit revenir à la réalité, et, serrant étroitement sur son cœur le petit chien, elle courut au milieu des arbres clairsemés qui séparaient le bois du jardin du Presbytère. Soulagée de retrouver le décor de sa vie quotidienne elle se hâta dans l'allée familière qui consuisait à la porte du jardin, sur le côté de la maison. Il fallait s'occuper de la patte de Rufus, et oublier au plus vite ce qui venait de se passer. Mais, tandis qu'elle longeait le passage qui menait à la cuisine, elle comprit que ce serait impossible.

La cuisine était déserte : à cette heure Martha était déjà venue puis repartie, son ouvrage terminé. Elle venait tous les matins faire le ménage et préparer le déjeuner, puis elle regagnait sa maison où l'attendait son fils qui était un peu l'idiot du village. Elle prenait soin de lui et revenait ensuite au Presbytère pour s'occuper du dîner de Shenda et de son père. Martha était bonne cuisinière car elle avait fait son apprentissage au château. Mais il lui fallait des produits de qualité, et Shenda savait qu'avec le peu d'argent dont ils disposaient il était difficile d'acheter la bonne viande que son père aimait tant. Comme Shenda était seule à la maison pour déjeuner ce jour-là, Martha devait être partie plus tôt que d'habitude, ne lui laissant qu'une assiette froide avec de la salade et quelques légumes du jardin. Elle déposa Rufus sur la table de la cuisine que Martha frottait vigoureusement chaque jour, et vit que le mouchoir taché de sang du gentleman était toujours entortillé autour de sa patte. C'était un mouchoir de lingerie fine et certainement coûteuse. Shenda eut un sourire à la pensée qu'elle n'aurait sans doute jamais l'occasion de le rendre à son propriétaire. Il s'était certes enquis de son nom mais elle avait oublié de lui demander le sien.

« C'est sans importance, je ne le reverrai jamais, » se dit-elle, pensant qu'il ne pouvait être l'hôte d'une des maisons du voisinage, où vivaient des gens âgés dont les fils étaient à la guerre et qui avaient cessé de recevoir. Se souvenant tout à coup que du vivant de sa mère on y invitait parfois ses parents à dîner, elle retient pourtant un instant cette hypothèse pour finalement la rejeter car le gentleman lui paraissait trop beau et trop élégamment vêtu pour fréquenter les demeures en question.

« J'ai sûrement vu cet homme en rêve ! » conclut-elle avec un sourire en nettoyant la patte du petit chien. Rufus se laissait faire sagement mais gémissait dès qu'elle lui faisait mal. Elle alla chercher des bandes de tissu dans un tiroir pour lui faire un pansement propre et sec, et allait mettre à tremper le mouchoir taché de sang dans l'eau froide quand la porte de la cuisine fut ébranlée par des coups violents.

– Entrez ! cria-t-elle, croyant qu'il s'agissait de quelqu'un du village.

Mais la porte s'ouvrit pour laisser passer la forme dégingandée d'un jeune paysan qui semblait avoir grandi trop vite.

– Bonjour, Jim, dit-elle d'une voix aimable. Que puis-je pour vous ?

– Mauvaises nouvelles, Miss Shenda, dit-il.

Shenda s'immobilisa.

– Qu'est-il... arrivé ?

– C'est vot'père, Miss, mais c'était point not'faute. On avait cru que l'taureau s'rait pas dangereux dans c'champ-là !

– Le taureau? Mais qu'est-il donc arrivé? demanda Shenda d'une voix bouleversée.

– C'taureau là-bas, il a fait tomber l'pasteur à bas d'son ch'val, et j'crois ben qu'c'est comm'ça qu'il l'a tué!

Shenda poussa un cri.

– Oh non! ditez-moi que ce n'est pas vrai!

– Hélas si, Miss. Mon père et les aut'es i's vont l'ram'ner sur un' barrière!

Au prix d'un grand effort Shenda prit Rufus qui était resté sur la table et le déposa sur le plancher. Puis elle se dirigea vers le hall afin d'ouvrir la porte d'entrée tandis que Jim la suivait en répétant d'une voix désolée :

– C'était point not'faute, Miss Shenda! On croyait ben qu'personne irait dans c'champ!

CHAPITRE II

Le comte d'Arrow se rendait à l'Amirauté, plein d'admiration pour le Premier ministre. Contre l'avis du Cabinet et au mépris de l'opinion d'une partie des membres du Parlement William Pitt avait tenu à nommer lui-même le Premier Lord. Aux yeux du comte il n'eût pu faire faire meilleur choix que celui de l'amiral sir Charles Middleton, maintenant lord Barham. Tous ceux qui avaient travaillé sous ses ordres avant qu'il prît sa retraite reconnaissaient en lui le plus grand administrateur naval depuis Samuel Pepys. Après la démission du vicomte de Melville accusé de malversations, nombreux avaient été les candidats à la fonction, appuyés soit par le Cabinet soit par l'opposition, et durant tout l'hiver le Premier ministre s'était débattu au milieu des pires difficultés pour tenter de former une coalition des alliés. Il devait prendre en compte l'appétit des uns et des autres pour l'argent des subsides, la peur inspirée par la

France, les routes glacées qui retardaient pendant des semaines l'envoi des courriers, les vaines espérances russes de collaboration avec l'Espagne, sans oublier l'incapacité des puissances étrangères à comprendre la nature et les limites de la suprématie britannique sur les mers.

Le Premier ministre affronta courageusement ces obstacles. Il avait subi un véritable feu roulant de critiques de la part des forcenés de l'opposition pour son projet de loi d'incorporation des gardes nationaux dans l'armée régulière qui permettrait de recruter dix-sept mille soldats. Entre temps il avait rassemblé tous les hommes de troupe susceptibles d'être envoyés Outre-Mer et, vers le mois de mars, cinq mille d'entre eux étaient prêts à partir pour les Indes.

Sachant tout cela le comte en avait conçu un immense respect pour le Premier ministre, même si, en sa qualité de marin, il restait convaincu que la seule vraie défense de l'Angleterre était sa Marine.

Quand il arriva devant les bâtiments de l'Amirauté, il constata qu'il était attendu. On l'introduisit immédiatement dans le bureau de lord Barham. Celui-ci se leva à l'entrée de son visiteur qui découvrit un homme encore vert et loin de paraître ses soixante-dix-huit ans, alors que le prince de Galles et les Whigs, qui s'étaient farouchement opposés à sa nomination, racontaient partout qu'il en avait quatre-vingt-deux. Il tendit la main au comte et s'exclama :

– Arrow! je ne saurais dire à quel point cela me fait plaisir de vous voir!

– Je suis venu aussi vite que j'ai pu, répliqua le comte, mais cela m'a fait de la peine de quitter mon navire.

– Je savais que vous éprouveriez ce sentiment, dit lord Barham, et je veux d'abord vous féliciter, non seulement d'être le plus jeune officier commandant un navire de la Marine britannique, mais aussi de vos exploits. Je n'ai pas besoin de les énumérer, d'ailleurs.

– C'est inutile en effet! répliqua le comte.

Il s'assit dans le fauteuil confortable que lui désignait lord Barham et dit avec une pointe d'anxiété dans la voix :

– Alors, - de quoi s'agit-il au juste? Je savais qu'il me faudrait rentrer dès que j'aurais hérité du titre et des biens de mon père, mais je ne pensais pas que ce fût urgent à ce point.

– J'avais besoin de vous, répondit brièvement lord Barham.

Le comte haussa les sourcils d'un air interrogateur et lord Barham poursuivit :

– Sur mon honneur, Arrow, je ne connais personne qui soit en mesure de m'aider aussi efficacement que vous pouvez le faire en ce moment.

Le comte écoutait sans rien dire et lord Barham poursuivit :

– Vous allez m'aider, non pas ici dans les bureaux de l'Amirauté car je sais que cela ne vous plairait guère, mais dans la haute société dont vous faites maintenant partie, et en secret.

Le visage jusqu'alors tendu du comte se rasséréna. Il avait craint, quand il avait reçu l'ordre de rentrer en Angleterre avec son navire après avoir pris part au blocus de Toulon, d'être forcé d'accepter un emploi, comme il disait, de « gratte-papier ». Il était fermement décidé à s'y opposer par tous les moyens et ce fut un soulagement de constater que lord Barham avait d'autres projets pour lui.

Le Premier Lord vint s'asseoir sur le siège voisin et dit alors :

– Ainsi que je le craignais je suis arrivé à l'Amirauté pour y trouver la pagaille. Henry Dundas, aujourd'hui vicomte de Melville, et ce n'est pas pour l'accabler que je vous dis cela puisque vous êtes bien au courant, a fait un beau gâchis du rapport de la Commission royale sur le budget naval.

Le comte répondit par un signe de tête affirmatif, et lord Barham continua :

– Il a traité la Commission par-dessous la jambe et ils se sont vengés en révélant certaines malversations commises sous son autorité il y a dix ans.

– J'ai entendu parler de cette histoire, répondit le comte, mais les nouvelles nous arrivaient irrégulièrement d'Angleterre, de sorte qu'il était difficile de suivre l'évolution de la situation.

– Melville a dû démissionner, dit lord Barham, j'ai pris sa place. Mes adversaires guettent mon premier faux-pas.

– Il vaut mieux éviter cela! répliqua le comte.

– J'ai besoin de vous maintenant, poursuivit lord Barham d'un air décidé, pour découvrir le responsable des fuites ici à l'Amirauté! Les espions de Bonaparte sont partout, même à Carlton House, je crois bien!

Le comte se redressa sur son siège.

– Vous êtes sûr de cela? demanda-t-il d'une voix incrédule.

– Tout à fait sûr, dit lord Barham. Napoléon est informé de nos mouvements presqu'en même temps que nous, et cette situation ne saurait se prolonger.

– En effet! approuva le comte.

– Ce que j'attends de vous est relativement facile, dit encore lord Barham. Comme vous occupez aujourd'hui un rang social élevé, le prince de Galles va rechercher votre amitié.

Un éclair de malice brillait dans son regard quand il ajouta :

– Le récit de vos exploits contre les Français va sans aucun doute l'amuser, mais assurez-vous qu'il en ait la primeur.

Il vit l'expression sur le visage du comte et comprit que celui-ci n'avait aucune envie de se vanter de ses prouesses.

– Ce n'est pas le moment de faire de la fausse modestie, décréta lord Barham. Tout ce que je vous demanderai de faire compte pour beaucoup dans mon plan pour vaincre Napoléon.

– Je prierai chaque jour pour que vous y parveniez! répondit le comte avec l'accent de la sincérité.

– Cela ne sera certainement pas facile, répliqua lord Barham. Le secret que je vais maintenant vous confier ne doit en aucun cas parvenir jusqu'en France.

Le Comte se pencha vers lord Barham qui poursuivit en baissant le ton :

– Nous avons regroupé des forces militaires importantes dans la région de Portsmouth, sous les ordres du lieutenant-général sir James Craig. Ces troupes font partie – je cite – « d'une expédition Outre-Mer dont la destination est et doit demeurer inconnue ».

Le comte écoutait d'une oreille attentive lord Barham qui continua sur le même ton :

– Avec un courage au-dessus de tout éloge, le Premier ministre a décidé de négliger la possibilité d'une invasion de cette île et de lancer sans hésiter le corps expéditionnaire dans l'inconnu.

– C'est exactement ce à quoi je m'attendais de sa part, fit le comte d'un ton rempli d'admiration.

– L'expédition secrète, car c'est ainsi que nous

l'appelons, poursuivit lord Barham, va faire un voyage de deux mille cinq cent milles et passer devant des ports où plus de soixante-dix vaisseaux de ligne ennemis qui n'ont jamais connu la défaite sont au mouillage.

Le comte, qui venait juste de rentrer en Angleterre, n'avait pas besoin d'autres détails pour mesurer les dangers qui guettaient le corps expéditionnaire.

– En dehors de moi, reprit le Premier Lord, personne ici n'est au courant de ce que je vais vous confier maintenant. Il s'agit tout simplement des ordres de Craig!

Le secret était si lourd que le comte eut peur des oreilles indiscrètes et faillit se retourner pour surveiller la porte, mais lord Barham continua sans s'émouvoir :

– Il doit rejoindre Malte pour y débarquer huit mille hommes qui participeront à des opérations offensives conjointement avec des troupes russes en provenance de Corfou, dans le double objectif de libérer Naples et de défendre la Sicile.

Il vit que son interlocuteur n'en croyait pas ses oreilles et ajouta :

– Pour assurer la sécurité de l'île qui est vitale pour l'exécution du plan européen de l'Angleterre, il pourra si nécessaire y établir une garnison sans l'autorisation du roi, afin de protéger aussi l'Égypte et la Sardaigne, avec l'aide de Nelson.

Il se tut et le comte dit alors :

– Je n'en reviens pas! Mais à mesure que m'apparaissent les périls de l'expédition secrète je comprends mieux pourquoi vous l'avez baptisée de ce nom!

Il sourit intérieurement à la pensée des spéculations auxquelles devaient se livrer les membres du corps expéditionnaire sur les navires bondés, au moment où l'armée allait avoir sa chance après des mois d'inaction.

– Pour terminer mon histoire, continua encore lord Barham, le vent qui empêchait les quarante cinq navires de transport de quitter l'Angleterre a enfin tourné, et avant hier, dix-neuf avril, le convoi a pris la mer escorté par deux vaisseaux de haut rang.

– Et vous croyez vraiment pouvoir garder tous ces mouvements secrets? demanda le comte.

– On me dit que les espions de Bonaparte ont été très actifs ces derniers temps, dit lord Barham, mais les rapports qui me parviennent concordent sur un point : ils n'ont pas la moindre idée de la destination du corps expéditionnaire. En fait, Bonaparte lui-même penche pour les Antilles, et ça je le sais de bonne source.

– Dans ce cas il enverra tous ses navires disponibles à l'attaque!

– C'est évident! approuva lord Barham. Certain qu'il est d'être bientôt maître du monde, il se croit obligé d'épouvanter Downing Street en dispersant nos maigres forces terrestres comme une volée de moineaux.

– Je voix très bien le tableau, déclara le comte, mais je ne suis pas certain de comprendre mon rôle dans tout ceci.

– Utilisez votre cervelle, mon cher garçon, répliqua lord Barham. Vous savez bien que les espions ne sont pas tous des personnages à la mine patibulaire qui se promènent vêtus de noir en rasant les murs. Ils ont souvent des yeux à damner un saint, la moue attendrissante et un goût prononcé pour les pierres précieuses!

Le comte eut un froncement de sourcils.

– Êtes-vous en train de me dire qu'il y a en Angleterre des femmes capables d'espionner pour le compte de la France?

– Volontairement ou non, avec ou sans intentions mauvaises, elles existent, j'en suis convaincu, dit lord Barham. Vous êtes payé pour savoir, Arrow, qu'un mot imprudent sur l'oreiller peut signifier la mort de dizaines de combattants sous l'uniforme britannique, ou la perte d'un navire dont l'importance est vitale pour notre défense.

Les lèvres serrées, le comte répondit:

– Ce que vous dites n'est que trop vrai car j'ai bien failli perdre mon propre navire il y a quelques mois parce qu'on avait signalé notre approche à l'ennemi. Seule la Providence nous a permis d'échapper au désastre!

– Alors vous allez comprendre ce que j'attends de vous, dit lord Barham. Il étendit la main d'un geste expressif: circulez parmi les familiers de Son Altesse Royale qui assiègent Carlton House comme des corbeaux affamés. Fréquentez les salons des grandes dames, qu'elles soient du parti des Whigs ou des Tories, ouvrez vos oreilles toutes grandes et gardez la tête froide.

– Je pourrais échouer lamentablement, dit le comte. Je me sens chez moi sur le pont d'un navire et suis plus capable de manier mon équipage qu'un essaim de jolies femmes!

Lord Barham se mit à rire.

– J'étais sûr qu'on vous avait laissé trop longtemps à la mer! Allons, il est temps d'oublier les exploits du capitaine Durwin Bow pour entrer dans la peau d'un comte insouciant qui ne pense qu'à s'amuser!

– Je me demande si je n'aimerais pas mieux l'emploi de gratte-papier que je m'attendais à me voir offrir quand vous m'avez convoqué!

– Mon cher, ce serait faire bien peu de cas de vos talents, de votre physique et de votre rang!

Lord Barham rit encore avant d'ajouter:

– Certes la plupart des gens ne voient guère un comte faire le métier d'espion, et pourtant c'est exactement ce que je vous demande. Je vous demande aussi de ne pas perdre de vue que la vie de sept mille soldats dépend de vous, indépendamment du fait que s'ils n'atteignaient pas leur destination, le Premier ministre aurait encore plus d'ennuis avec les Russes qu'il n'en a déjà, ce qui n'est pas peu dire!

– Alors, il ne me reste plus qu'à faire tout mon possible, dit le comte d'un ton résigné.

– C'est la réponse qu'il me fallait, dit lord Barham avec un sourire.

Il se leva et le comte comprit que l'entretien était terminé.

– Ne revenez pas me voir, à moins que vous n'ayez des choses importantes à me dire, conclut lord Barham. Ne notez rien par écrit et ne faites surtout confiance à personne, ici comme ailleurs.

– Vous me donnez le frisson! se plaignit le comte.

– C'est exactement ce que je veux, répondit lord Barham. Nous avons péché par excès de suffisance et vécu jusqu'ici dans le laisser-aller. Eh bien, je vous assure que nous ne pouvons nous offrir ce luxe plus longtemps!

Il fit une pause avant d'ajouter :

– A propos, nous sommes sans nouvelles de Nelson. Ce jeune amiral est un peu trop fantasque pour mon goût!

– Vous n'avez aucune idée de l'endroit où il se trouve? demanda le comte d'un air incrédule.

– Absolument aucune, dit brièvement lord Barham. Tout borgne qu'il est, s'il est une nouvelle fois reparti pour l'Égypte, le gouvernement va se trouver dans le pétrin!

– Pourquoi donc? s'enquit le comte.

– Parce que Nelson doit absolument garder le contrôle de la Méditerranée centrale, répondit lord Barham.

– Je croyais qu'il avait si bien réussi que la flotte française avait abandonné cette zone pour aller se livrer à la piraterie dans l'Atlantique.

– Nous avions cet espoir, dit lord Barham, mais aujourd'hui Nelson a disparu et personne n'est en mesure de nous dire où il se trouve!

– Je suis tout à fait certain que sa décision sera la bonne, quelle qu'elle soit, dit calmement le comte.

Lord Barham parut quelque peu sceptique à l'énoncé de cette déclaration optimiste, mais il ne fit aucune remarque et se borna à reconduire son visiteur jusqu'à la porte de son bureau. Il l'ouvrit et dit alors d'une voix forte afin d'être entendu de tous ceux qui pouvaient se trouver là :

– J'ai été enchanté de vous voir, mon cher garçon. Vous allez nous manquer dans la Marine, mais je comprends parfaitement que vos domaines réclament tous vos soins. Vous avez été longtemps à la peine, prenez donc un congé et même un peu de bon temps!

Il serra la main du comte qui fut reconduit jusqu'à la porte d'entrée par un des commis principaux. Le Premier Lord regagna son bureau avec l'air d'un homme qui a déjà perdu trop de temps sans raison suffisante.

Le comte réfléchissait aux moyens d'exécuter les ordres de lord Barham et grimpa dans son phaéton, se demandant par où il allait commencer.

C'était néanmoins un homme intelligent et même astucieux. Le Premier Lord n'avait pas eu besoin d'exagérer l'importance de l'expédition secrète ou le danger d'infiltration du beau monde par les espions de Bonaparte pour l'impressionner. Il savait très bien aussi que tous les pays possédaient leurs espions. Par contre, il n'avait jamais encore imaginé que Napoléon pût être assez habile pour utiliser à cette fin des hommes et des femmes reçus dans la haute société, chez le prince de Galles, et peut-être même à Buckingham Palace! Mais il connaissait l'existence des nombreux émigrés venus chercher refuge en Angleterre pendant la Révolution Française. Nombre d'entre eux dont les châteaux ou les domaines avaient été pillés ou confisqués avaient décliné l'invitation de Napoléon à rentrer en France après la proclamation de l'Empire. Ils constituaient peut-être un danger, bien que le comte n'ignorât point qu'ils professaient d'ordinaire une haine féroce du petit parvenu corse qui avait fait son chemin sous la révolution pour finir par se proclamer lui-même empereur des Français. Ils s'offusquaient de son installation dans les anciennes demeures des rois et de son train plus impérial encore que celui de Charlemagne.

Le comte se demandait s'il y avait des espions parmi les émigrés, et, si ce n'était pas le cas, qui pouvait espionner en faveur de la France? Conduisant toujours son phaéton, il remonta le Mall et dépassa St Jame's Palace pour déboucher dans St Jame's Street. L'idée lui vint alors, puisqu'il était de retour en Angleterre, de s'arrêter au *White's Club* où il retrouverait certainement la plupart de ses amis. Il apprendrait là les derniers potins, et même si cela était peu probable, il trouverait peut-être des indices qui le mettraient sur la piste des créatures assez méprisables pour s'abaisser jusqu'à prendre l'argent des Français. Il s'arrêta devant la porte du club, et ne fut pas vraiment surpris d'être accueilli dès son entrée par le chef-portier avec une familiarité respectueuse :

– Bonjour Monsieur le comte! Cela fait réellement plaisir de vous revoir ici après tant d'années!

Le comte se mit à rire car la tradition du *White's* était que les portiers devaient connaître par cœur les noms de tous ses membres, et celui-ci venait de lui rappeler qu'il était désormais le comte d'Arrow, et non plus le capitaine de corvette Durwin Bow, comme la dernière fois qu'il était venu. Il fit à son tour un effort de mémoire pour marquer sa satisfaction d'avoir été reconnu :

– Je suis content d'être revenu, Johnson, dit-il

– Monsieur le comte, dit alors Johnson, vous trouverez le capitaine Crawshore dans le petit salon.

Le Comte s'amusa de constater que le portier se souvenait aussi du nom de ses amis. A son entrée dans le petit salon les membres présents levèrent les yeux et la conversation parut marquer un temps d'arrêt. Puis on entendit crier : « Durwin ! » et l'instant d'après l'on vit Perry Crawshore à ses côtés.

– Vous voilà revenu ! dit-il en lui secouant vigoureusement la main. Je me demandais quand nous allions vous revoir !

– Je suis arrivé depuis quelques jours, répliqua le comte, mais je suis d'abord allé voir ma maison de Berkeley Square qui était dans un désordre sans nom.

– Je vous aurais volontiers donné un coup de main si vous me l'aviez demandé, remarqua Perry.

– Eh bien je vous le demande maintenant, répliqua le comte.

Il s'assit à côté de son ami dans un des fauteuils de cuir et commanda une boisson à l'un des serveurs.

– Et qu'allez-vous faire, à présent que vous êtes revenu? s'enquit Perry.

– M'amuser! répliqua le comte. J'ai bourlingué sur les mers depuis si longtemps que je ne savais plus si je serais encore capable de me tenir debout sur le plancher des vaches!

– Resterez-vous à Londres ou comptez-vous séjourner à la campagne? demanda Perry.

– L'un et l'autre à coup sûr! répliqua le comte. Perry, je compte sur vous pour me présenter aux « Incomparables » et aux beautés du moment comme si j'étais une simple débutante!

Perry Crawshore éclata d'un rire tonitruant. Deux ou trois autres messieurs qui connaissaient le comte vinrent alors prendre de ses nouvelles :

– Nous pensions qu'un éléphant de mer vous avait mangé, ou alors que vous aviez été enlevé par une jolie sirène! plaisanta l'un d'entre eux.

– Il y a peut-être des sirènes dans la Méditerranée, répliqua le comte, mais je n'en ai pas aperçu une seule, et les Français sont moins gênants que les marsouins!

– Est-ce que cette sacrée guerre va durer encore longtemps? demanda quelqu'un.

Le comte vit tous les regards se tourner vers lui, et il réfléchit un instant avant de dire :

– Elle durera jusqu'à la défaite de Napoléon,

et ne vous y trompez pas, personne ne peut le battre sauf nous!

Shenda contemplait la maison qui avait toujours été son foyer sans pouvoir admettre qu'il fallait la quitter. Quand elle avait reçu du nouveau régisseur du domaine d'Arrow une lettre lui donnant quinze jours pour quitter le Presbytère, elle s'était assise et s'était mise à pleurer. La seule personne qui pût la recueillir était le frère aîné de son père qui s'était installé dans la maison du Gloucestershire à la mort de son grand-père. Elle l'avait rencontré deux fois en deux ans et le trouvait bien différent de son père. De plus, elle le savait dans la gêne depuis qu'il avait quitté l'armée. Il avait quatre enfants et beaucoup de mal à joindre les deux bouts. Elle ne voyait pas comment lui imposer cette charge supplémentaire, mais d'un autre côté elle ne savait où aller. Elle avait dans le nord de l'Écosse des parents du côté de sa mère, mais ils s'étaient opposés au mariage de celle-ci avec son père et elle ne les avait de ce fait jamais vus. Tout en emballant ses hardes et quelques objets personnels elle cherchait désespérément, mais en vain, le moyen d'assurer son avenir. L'argent lui faisait défaut à l'exception de quelques livres provenant de la vente d'une partie du mobilier. Johnson, le fermier indirectement responsable de la mort de son père avait cependant offert de prendre soin de tout ce qu'elle lui laisserait en garde à la ferme.

– Vous pouvez ben prendre un appentis ou l'grenier si vous aimez mieux, Miss Shenda. J'veill'rai sur vos affaires, ça vous pouvez êt'tranquille!

– C'est très aimable à vous, répliqua Shenda, mais je n'ai pas grand-chose, quelques malles et peut-être deux ou trois caisses.

– J'vais envoyer Jim avec la charrette pour les ram'ner par ici, dit le fermier, et vous savez, Miss Shenda, tout c'qu'on fait pour vous, on l'fait d'bon cœur!

Elle comprit qu'il se sentait coupable à cause du taureau, mais ce n'était la faute de personne en particulier. Son père ne pouvait savoir qu'un taureau furieux se trouvait précisément ce jour-là dans le champ qu'il traversait régulièrement pour aller chez Mrs Newcomb. Quant à Johnson, le fermier, comment pouvait-il connaître les habitudes du pasteur si celui-ci n'avait jamais pris la peine de lui en parler?

Il restait une caisse à demi pleine et Shenda se rappela en la voyant qu'une nappe brodée de sa mère était restée sur le buffet de la salle à manger. Elle vit, en la prenant sur l'étagère, que la bordure de dentelle était déchirée et se dit qu'il faudrait l'arranger au plus tôt. Sa mère lui avait enseigné la couture et la broderie. Elle était très adroite et tout le monde au village admirait ses œuvres. Elle plia la nappe, l'enveloppa dans du papier blanc et la coucha bien à plat dans la caisse. Ce faisant, elle se demandait si elle retrouverait un jour une maison remplie de ces objets d'apparence banale en temps ordinaire, mais qui maintenant devenaient un luxe. C'est alors, tandis qu'elle tapotait l'étoffe d'un geste presque caressant, qu'une idée lui vint. La nuit précédente elle avait dans ses prières demandé à Dieu ainsi qu'à sa mère de lui venir en aide.

« Que vais-je devenir, ma chère Maman? l'implorait-elle du fond de son lit. Je suis sûre que mon oncle William a déjà bien assez de bouches à nourrir, et je vais lui imposer, non pas un mais deux convives supplémentaires si j'emmène Rufus avec moi. »

Elle appréhendait la réaction de sa tante qui ne voudrait probablement pas d'un chien dans la maison, car elle croyait se rappeler son attitude légèrement hostile à son égard, et pourtant elle ne voulait à aucun prix se séparer de Rufus.

« Maman... aidez-moi... aidez-moi! » priait-elle, en proie au plus profond désespoir. Elle avait dû élever la voix sans s'en apercevoir car Rufus, qui avait senti sa détresse, s'approcha pour la réconforter. Sa blessure était cicatrisée mais il marchait avec précaution comme s'il craignait le retour de la douleur. Elle le prit dans ses bras et promena ses doigts le long de son dos. Il dressa une patte en l'air comme pour dire quelque chose. Il ne lui manquait vraiment que la parole. Elle courut alors jusqu'à sa chambre presque vide pour prendre son chapeau, puis appela le chien :

– Viens, Rufus, nous allons nous promener!

Elle traversa le jardin aux couleurs éclatantes, puis s'engagea dans le bois, l'épagneul sur ses talons. Mais, au lieu d'emprunter le sentier moussu qui conduisait à l'étang mystérieux, elle prit tout droit en direction du château. C'était une construction imposante avec son vieux donjon qui pointait vers le ciel. La silhouette harmonieuse des bâtiments ajoutés au cours des générations tranchait orgueilleusement sur les bois environnants. Shenda qui aimait pourtant beaucoup le fouillis éclatant du jardin du presbytère dut reconnaître que le parc du château embellissait de saison en saison. C'est au printemps qu'il jouait de toute sa séduction avec les osiers fleuris et les buis parfaitement taillés qui encadraient les jardins dessinés à la française au temps de la reine Elisabeth. Durant toute la maladie du feu comte, les jardiniers en avaient pris le même soin que s'il allait surgir à tout moment en visite d'inspection. Shenda pensait souvent qu'il était dommage pour eux qu'il n'eût pas été en mesure de le faire. Chaque fois qu'elle venait au château, elle ne manquait pas de complimenter le vieux Hodges, le jardinier en chef, qui du coup semblait toujours heureux de la voir.

La cascade, la fontaine, le boulingrin, le jardin potager et bien d'autres lieux enchanteurs ravissaient les yeux de Shenda tout en stimulant son imagination. Elle revivait les aventures des occupants successifs du château, en particulier celles du premier Chevalier. Il y avait eu bataille dans les temps reculés et le commandant du lieu, nommé Hlodwig, avait lancé ses hommes à l'attaque d'une troupe de Danois débarqués en force pour piller la région. Le combat tournait à l'avantage de ceux-ci quand Hlodwig, arrachant son arc à l'un de ses soldats, tua le chef danois d'une flèche en plein cœur. En récompense de cet exploit il fut fait chevalier et devint sir Justin Bow. Il s'était enfoncé dans l'intérieur des terres pour bâtir un manoir fortifié qu'il avait fort à propos baptisé Arrow *. La terre fut érigée en comté sous le règne de Charles II, et depuis les Bow avaient toujours servi le roi, dans l'armée ou dans la marine, parfois comme conseillers royaux. L'histoire était si romantique que Shenda n'avait aucune peine à imaginer le château rempli de chevaliers en armure et de dames coiffées de hennins. Venaient ensuite les pourpoints et les collerettes de l'époque Tudor, puis les longues perruques semblables à celle que portait Charles II après la Restauration. Elle rêvait de se confectionner des robes à la mode et aurait bien voulu porter une de celles qui étaient

* *Arrow* : en français, *flèche*.

très en vogue actuellement en Angleterre après avoir été lancées en France par l'impératrice Joséphine. Elle savait déjà que la robe de mousseline transparente, à la taille haute, aux manches bouffantes, avec ses rubans se croisant sur la poitrine, lui siérait à ravir. Comme elle atteignait le château cette idée la fit rire : ce n'était pas de s'habiller mais de se nourrir dont elle avait le plus besoin. Sans réfléchir, elle alla droit à la grande porte et c'est seulement quand celle-ci s'ouvrit devant un nouveau domestique qu'elle n'avait jamais vu, qu'elle regretta de n'être pas passée par les cuisines.

– Je désire voir Mrs Davison, dit-elle de sa voix la plus douce, craignant la réaction du serviteur, qui allait sans doute juger, lui aussi, qu'il ne fallait pas frapper à cette porte pour demander l'Intendante. Mais ce dernier se contenta de répliquer :

– Je vais demander si elle peut vous recevoir. Quel nom dois-je annoncer?

– Miss Lynd, répondit Shenda. Je viens du Presbytère.

Le domestique changea aussitôt d'attitude.

– Si vous voulez vous donner la peine d'entrer, mademoiselle, dit-il d'un ton déférent, je vais vous conduire à la chambre de Mrs Davison.

– Merci, répondit Shenda, espérant que le jeune comte engagerait bientôt de nouveaux serviteurs afin de redonner à sa maison le lustre qui lui faisait tristement défaut depuis deux ans. Elle souhaitait seulement qu'il eût gardé les plus âgés, ceux qu'elle avait connus pendant les longues années où le vieux comte malade ne voyait plus personne. Par politesse, son père venait alors prendre de ses nouvelles presque toutes les semaines, accompagné de sa fille. Il lui arrivait d'être reçu par le comte, et elle l'attendait dehors dans le cabriolet qui les avait amenés. Parfois, le maître d'hôtel, Bates, qui servait au château depuis quarante ans la priait d'entrer pour attendre plus confortablement dans l'une des pièces ouvertes aux visiteurs. Certaines après-midi Bates lui offrait de prendre une tasse de thé dans le petit salon où les membres de la famille venus passer la nuit prenaient aussi le repas du soir. Toutes les autres pièces de la grande maison restaient fermées, les meubles recouverts de housses en toile de Hollande, les volets clos et les rideaux tirés. Ce spectacle affligeait la jeune fille qui faillit demander si les pièces de réception avaient été rouvertes, mais s'abstint par discrétion vis-à-vis du domestique. Arrivé près de la porte que Shenda aurait facilement trouvée toute seule, il frappa, attendit la réponse de Mrs Davison, ouvrit et s'effaça devant elle. L'Intendante qui était assise près de la fenêtre poussa un petit cri de plaisir en reconnaissant la visiteuse.

– Mademoiselle Shenda! s'exclama-t-elle, je pensais justement à vous en me demandant ce que vous alliez devenir après la mort de votre cher père.

– C'est précisément de cela que je viens vous parler, répliqua la jeune fille.

– Oh, ma chère, je suis si affreusement désolée de ce qui vous arrive! fit Mrs Davison, qui la prit par la main pour la conduire jusqu'à un fauteuil confortable et s'assit auprès d'elle en disant d'un air affligé :

– J'imagine ce que vous devez éprouver après la mort de votre mère, que son âme repose en paix, et de votre père que nous aimions tous.

– Nous aurons presque tout de suite un nouveau pasteur! dit Shenda.

– Si tôt que cela? s'exclama Mrs Davison. Voilà bien notre nouveau régisseur. Il faut toujours se dépêcher avec cet homme-là! Même pas le temps de reprendre haleine et ça y est, on passe à l'exécution!

– Il y a un nouveau domestique, un valet de pied, je crois. C'est lui qui m'a ouvert la porte, remarqua Shenda.

– Il n'y en a pas un, mais quatre! Et ils veulent tous être instruits par Mr Bates qui en a par-dessus la tête, ça je puis vous l'assurer!

Mrs Davison sourit.

– N'empêche, ça va être comme au bon vieux temps avec la maison pleine d'invités, et le croiriez-vous, mademoiselle Shenda, il nous arrive de Londres un groupe de douze personnes vendredi prochain!

– Avec le jeune comte? demanda la jeune fille.

– Bien entendu!

Shenda eut brusquement envie de connaître celui-ci, puis elle se rappela le motif de sa visite.

– Il m'est venu une idée, Mrs Davison, dit-elle, mais je ne sais pas ce que vous en penserez.

– Une idée? si elle est aussi bonne que celles que me donnait souvent votre pauvre mère, je puis vous assurer qu'elle sera la bienvenue!

– Vous êtes trop bonne, reprit Shenda, mais je dois d'abord vous dire que je n'ai pas d'argent et que je ne sais même pas où aller.

Mrs Davison la regarda.

– Je n'arrive pas à vous croire! Et vos parents?

– Je n'ai que le frère de papa qui vit dans le Gloucestershire, mais je suis sûre qu'il ne veut pas de moi, et encore moins de Rufus!

Elle étendit la main pour toucher le petit chien qui était couché à ses pieds. Il l'avait suivie sans faire de bruit et se tenait sagement immobile comme on lui avait appris à le faire quand il était en visite.

– Mais c'est la chose la plus terrible que j'aie jamais entendue! dit Mrs Davison. Quelle est votre idée, mademoiselle Shenda?

– Eh bien, Mrs Davison... je pensais... que ce serait merveilleux... si je pouvais venir ici... comme couturière!

Mrs Davison la dévisagea alors elle enchaîna aussitôt :

– Maman me disait qu'autrefois, au temps de son amitié avec la comtesse, il y avait toujours une couturière au château.

– Je pense bien qu'il y en avait une! confirma Mrs Davison. Quand elle est morte elle avait, oh, près de quatre-vingts ans, et elle était devenue presqu'aveugle. Je ne l'ai pas remplacée car je pouvais me charger moi-même du peu qu'il y avait à faire dans une maison à moitié vide, mais maintenant c'est une autre affaire.

– Vous n'avez engagé personne? demanda Shenda d'une voix fébrile.

– J'y ai pensé, et j'y pense encore quand on me dit que douze invités vont débarquer dans trois jours! Les dames amèneront leurs femmes de chambre et les messieurs leurs valets.

Mrs Davison reprit son souffle avant d'ajouter :

– Je vais sûrement me retrouver à la tête d'un paquet de taies d'oreiller sans boutons et de draps déchirés au moment de leur départ, ou alors je suis une fieffée menteuse!

– Je sais faire tout cela et un tas d'autres choses, s'empressa de dire Shenda.

– Mais vous êtes une lady, mademoiselle

Shenda! Vous devriez être en bas avec les invitées de Sa Seigneurie, dont pas une n'est aussi jolie que vous!

Shenda se mit à rire.

– Merci beaucoup, Mrs Davison, j'apprécie le compliment mais je ne tiens guère au personnage de la jeune fille pauvre qui n'a rien à se mettre et pas de quoi s'acheter une robe convenable!

Elle ajouta d'une voix troublée:

– Je vous en prie... je vous en prie... gardez-moi! Je serais si malheureuse loin du village et des gens qui ont connu Papa et Maman. Si je puis demeurer près d'ici... ce sera comme si j'étais encore à la maison. Sa Seigneurie ne fera pas attention à la couturière, qu'il s'agisse de moi ou bien de la vieille femme qui est morte!

– C'est juste, reconnut l'Intendante, et je ne crois pas que le nouveau régisseur, Mr Marlow, veuille se mêler des affaires du ménage.

– Je peux rester alors? Oh, je vous en supplie, Mrs Davison! Puis-je rester?

– Bien sûr que vous pouvez rester, mademoiselle Shenda, si votre bonheur en dépend. Vous prendrez vos repas avec moi. L'atelier de la couturière se trouve au dernier étage et il y a une chambre confortable juste à côté.

Elle réfléchit un moment, puis se ravisa:

– Non, faisons mieux que cela! Je vais vous garder près de moi! Il y a deux pièces que l'on réserve aux femmes de chambre des dames en visite, et que je peux facilement convertir en chambre à coucher et en atelier. Comme ça j'aurais pour ainsi dire le sentiment de veiller sur vous.

– Vous êtes si bonne... si bonne pour moi, dit Shenda qui avait les larmes aux yeux en ajoutant :

– Je croyais... qu'il me faudrait partir... et que personne ne voudrait de moi.

– Mais j'ai besoin de vous, mademoiselle Shenda, parole d'honneur, dit Mrs Davison. De toutes manières, j'avais l'intention, à la première occasion, de dire à Sa Seigneurie qu'il me fallait de l'aide.

– Eh bien vous pouvez lui faire savoir que vous en avez trouvé, dit Shenda. Ce sera merveilleux pour moi d'être ici, de vous parler de Papa et de Maman, de ne pas me sentir abandonnée après avoir dû quitter tout ce que... je chérissais.

Une larme coula le long de sa joue. Elle l'écarta vivement d'un revers de main.

– Là, ne vous mettez pas dans tous vos états, dit Mrs Davison. Nous allons prendre une bonne tasse de thé et vous pourrez me parler des bagages que vous désirez faire venir ici.

– Le fermier Johnson m'a très aimablement proposé de garder chez lui tout ce dont je peux me passer pour l'instant, mais je serais enchantée d'avoir toutes mes affaires à portée de main. Il y a peut-être de la place dans les greniers?

– De la place? répliqua Mrs Davison. On pourrait entreposer là le mobilier d'une douzaine de maisons! Gardez donc ce qui vous appartient près de vous, mademoiselle Shenda, c'est plus sûr!

– C'est merveilleux! dit Shenda. Si vous ne me donnez pas trop de travail, j'aurai peut-être le temps de me faire une robe. Il y a des années que je n'ai pu m'en offrir une et je ne voudrais pas que vous ayez honte de moi!

Mrs Davison sourit.

– Vous ressemblez à votre mère trait pour trait – c'était une lady, la plus belle que j'aie jamais vue – ça je vous le jure, la main sur le cœur!

– Ce que vous venez de dire me rend très heureuse, dit Shenda. Oh, Mrs Davison, merci, merci!

Elle se leva et d'un geste impulsif embrassa la vieille Intendante.

– Tout est arrangé maintenant, dit celle-ci. Mr. Bates va être aussi content que moi, j'en suis sûre, que vous soyez tirée d'affaire. Nous veillerons sur vous, mais personne, en dehors de ceux qui, comme nous, sont ici depuis des années, ne doit savoir qui vous êtes.

Shenda la regarda sans comprendre, et elle compléta sa pensée en disant :

– Les nouveaux pourraient être embarrassés d'apprendre qu'on vous emploie au même titre qu'eux alors que vous êtes une lady.

– Ah je comprends! dit Shenda. Je ferai très attention, bien entendu.

– Tout ce que vous devez faire, c'est éviter de vous mêler à eux, dit Mrs Davison. Vous pouvez vous tenir dans votre petit salon et déjeuner ou dîner avec moi car si je veux être seule à l'heure des repas, cela relève exclusivement de ma décision.

– Je serai très bien toute seule si vous devez prendre vos repas dans la salle à manger de l'Intendante, observa Shenda, qui n'ignorait pas que les vieux serviteurs avaient pour habitude d'utiliser la pièce qu'on appelait ainsi quand l'effectif était au complet, tandis que les jeunes mangeaient dans le réfectoire des domestiques.

– Laissez-moi m'occuper de tout ça, dit Mrs Davison. J'ai le souci des convenances et je sais bien ce que votre pauvre mère aurait souhaité pour sa fille. Je ne vous laisserai pas approcher par des gens qui risqueraient de vous traiter trop familièrement.

Elle parlait d'un ton si décidé que Shenda ne voulut pas discuter et se contenta de remercier une nouvelle fois Mrs Davison d'être venue à son secours et à celui de Rufus. Une prière fervente monta du fond de son cœur :

« Merci, merci, ma chère maman! Je sais que c'est vous qui m'avez inspirée, que c'est à vous que je dois mon salut! »

CHAPITRE III

Le comte était impatient d'accueillir au château ses premiers invités. Perry lui avait conseillé de faire venir ses camarades d'autrefois, accompagnés des jolies femmes dont ils étaient alors amoureux. Il était au comble de l'excitation depuis le retour à Londres de son ami, et encore plus désireux de lui faire prendre un peu de bon temps après une absence de plusieurs années.

– Il est temps d'oublier la guerre, mon vieux! lui dit-il. Tout le monde en a par-dessus la tête, et le prince de Galles lui-même donne l'exemple en s'amusant comme un fou chaque jour que Dieu fait.

De son côté le comte ne parvenait pas à oublier les épreuves de la Marine, dont les équipages supportaient de plus en plus mal le blocus prolongé des ports français. Ils revenaient souvent bredouilles de la chasse aux vaisseaux ennemis entre les Antilles et la Méditerranée, parfois sans avoir tiré un coup de canon. Pour toute nourriture ils devaient se contenter de maigres rations de biscuits de mer charançonnés et de viande conservée depuis des années dans la saumure. Mais il fallait obliger les Français à renoncer à leurs ambitions de conquête et seule comptait en définivite la défaite de Napoléon.

Comme s'il avait deviné la pensée du comte, Perry dit d'une voix ferme :

– Il est grand temps de penser à autre chose. Bonaparte vous obsède au point que vous commencez à lui ressembler !

Le comte ne put s'empêcher de rire et finit par écouter attentivement les détails du plan mis sur pied par son ami pour le distraire. Ce plan, très simple, consistait à le présenter à l'une des femmes les plus séduisantes qu'il eût jamais vu. Sous le regard expressif de ses yeux sombres, les rigueurs de la guerre devinrent immédiatement le cadet de ses soucis.

Lucille Gratton était l'épouse d'un pair du royaume beaucoup plus âgé qu'elle et qui possédait en Irlande un vaste domaine d'un rendement médiocre. Elle était extraordinairement belle, très lancée dans le monde depuis que son éducation était achevée, et s'attendait à voir tous les hommes tomber à ses pieds. Elle avait profité des nombreux séjours de son époux dans l'Ile d'Émeraude pour prendre plusieurs amants dont elle se lassait en général au bout de quelques mois. Lorsque, grâce à Perry, le comte fit sa connaissance, elle cherchait un homme différent des autres, et riche bien entendu. Après de longs mois en mer sans même apercevoir une femme, le comte tomba aussitôt sous le charme de la belle Lucille, à la grande satisfaction de Perry. Ils dînèrent le premier soir chez des amis communs pour se retrouver seuls chez lady Gratton la nuit suivante. Inévitablement le comte rentra chez lui à l'aube, satisfait de constater que ses années de navigation n'avaient en rien entamé ses capacités amoureuses. Jamais femme ne lui avait paru plus passionnée, plus ardente et plus insatiable que Lucille. Comme elle avait accepté son invitation, sa présence au château lui fournirait sans doute le meilleur garant de son nouveau statut social.

Quand il avait chargé le vieux secrétaire de son père de faire exécuter ses ordres, Perry avait insisté sur la nécessité d'attribuer aux couples illégitimes des chambres contiguës.

– Est-ce la coutume? avait demandé le comte.

– Je puis vous assurer que cela se passe ainsi dans les meilleures maisons, répondit Perry. Pour l'amour du ciel, Durwin, ne me dites pas qu'à votre âge vous ignorez encore les choses de la vie!

Ils rirent de bon cœur, mais le comte trouvait tout de même étrange que des « affaires de cœur », réputées secrètes, fussent aussi vulgairement étalées au grand jour. Au temps de sa mère les choses ne se fussent certainement pas passées de cette façon. Il était cependant disposé à se conformer aux usages dans la mesure où la mission confiée par lord Barham l'exigeait.

La lecture attentive de la liste de ses invités le confirma cependant dans l'idée qu'aucun espion ne pouvait se trouver parmi eux. Peut-être les conversations lui fourniraient-elles tout de même quelque indice susceptible d'orienter ses recherches dans la bonne direction pour lui permettre de faire ce qu'on attendait de lui. Le choix de Perry s'était porté sur deux pairs du royaume connus et appréciés du comte, un marquis héritier d'un duché fameux, et un baronnet qui travaillait à l'Amirauté, avec eux six hommes en tout. Lucille excepté, il ne savait rien des cinq autres dames, si ce n'est qu'elles appartenaient au petit groupe des beautés célèbres qui faisaient les beaux jours de Carlton House.

Le comte ne doutait pas un instant de la qualité de l'accueil qui serait fait à ses hôtes, selon ses instructions. Il avait été content d'apprendre que plusieurs anciens serviteurs étaient toujours là, dont Bates qui l'avait connu tout enfant, et Mrs Davison qui lui portait en cachette des bonbons ou du gâteau au chocolat quand il était puni. Un ou deux autres vieux domestiques, encore vivants ou qui avaient refusé une meilleure place ailleurs, faisaient toujours leur service au château. Dès son retour en Angleterre il avait engagé un nouveau régisseur. L'homme, un nommé Marlow, lui avait été chaudement recommandé par un amiral au cours du voyage de Portsmouth à Londres. Il l'avait fait mander dès son arrivée à Berkeley Square, et le jugeant compétent, l'avait aussitôt expédié au château pour faire l'inventaire des travaux les plus urgents. Il avait pu constater avec satisfaction que, tout le temps qu'avait duré la maladie de son père, les dépenses s'étaient trouvées réduites au minimum, de sorte qu'il avait en banque une somme d'argent considérable.

« La première chose à faire, se dit-il en recevant le rapport du nouveau régisseur, c'est d'aller rendre visite aux fermiers. Je suis certain d'en reconnaître quelques-uns. Je veux également m'assurer que les retraités ont reçu leur pension. »

Pendant le trajet de Londres au château, en compagnie de Perry, dans un phaéton neuf attelé de chevaux achetés la veille, il se disait qu'avant le départ de ses invités il n'aurait sans doute pas le temps de faire grand-chose. Il y avait aussi énormément à faire dans sa maison de Berkeley Square, qui était restée fermée pendant que son père était malade, et dont les domestiques avaient été, soit congédiés, soit mis à la retraite. Il se souvenait d'un seul d'entre eux, le maître d'hôtel. Habitué à commander, le comte avait en outre à plusieurs reprises été dans l'obligation de réarmer des navires en un temps record et la remise en état de la maison lui semblait une tâche comparativement aisée.

Plus important encore, il avait dû s'acheter une garde-robe complète, car ses rares vêtements civils étaient usés jusqu'à la corde ou devenus trop petits. Il avait cependant réussi, en moins de quarante-huit heures, à se donner une apparence assez respectable pour oser mettre le nez dehors. Il lui avait suffi de commander à Weston, le tailleur alors en vogue, une garde-robe complète et de lui emprunter quelques habits en attendant la livraison.

Il s'était rendu à l'Amirauté quatre jours à peine après son retour en Angleterre et tout en veillant au harnachement de son nouvel attelage, il se disait que c'était la première fois qu'il avait le temps de souffler un peu.

– Je suis content que Lucille vous plaise, disait Perry. Je l'ai toujours considérée comme la plus belle, et je la trouve beaucoup plus intelligente que la plupart de ses contemporaines.

Le comte fit appel à sa mémoire pour trouver trace d'une conversation intelligente entre Lucille et lui. Pour être franc, leurs entretiens, très limités, n'avaient porté jusqu'alors que sur un seul sujet. Comme il ne répondait pas, Perry lui jeta un coup d'œil rapide accompagné d'un sourire entendu. Puis il se mit à faire à son ami le portrait de chacun des invités, de sorte qu'au bout de quelques milles le comte s'exclama :

– Les gens de Londres ne songent donc jamais à la guerre?

– Non, s'ils peuvent s'en dispenser! répondit Perry avec sincérité. Que le diable m'emporte, ça fait trop longtemps que ça dure! Il ne reste plus qu'à prier pour que, par quelque miracle, Napoléon soit battu plus tôt que prévu.

Le comte, qui ne croyait guère à cette éventualité, pensa qu'il avait peu de chances de contribuer à l'échec de Bonaparte en utilisant la méthode préconisée par lord Barham. Il aurait donc, tôt ou tard, mieux à faire qu'à coucher avec de jolies femmes et à s'amuser en compagnie de Perry et de sa bande de joyeux drilles. Il garda cependant ses réflexions pour lui, et choisit de rester dans la peau d'un homme insouciant qui cherche avant tout à se distraire.

Il éprouva un choc en apercevant tout à coup le château devant lui. C'était sa propriété désormais et non plus celle de son père. La pensée qu'il pourrait un jour devenir le onzième comte d'Arrow par le fait de la mort de son frère George ne l'avait jamais effleuré pendant qu'il était en mer, mais il était maintenant bien décidé à perpétuer leur nom. On avait élevé George, l'aîné, dans cette perspective depuis l'âge le plus tendre, alors que lui, le cadet, n'occuperait jamais qu'un rang secondaire dans la hiérarchie familiale. Il se rappelait avoir demandé à son père un peu plus d'argent juste avant d'embarquer sur un nouveau vaisseau avec le grade de lieutenant, mais le vieux comte lui avait expliqué que George devait recevoir tout l'argent disponible, en ajoutant :

– Il me remplacera un jour à la tête de la famille, et si nous commençons à dissiper son héritage en dépenses aussi extravagantes, il ne pourra plus tenir convenablement son rang, ni prendre soin de ceux dont il aura la charge.

Il avait eu du mal à comprendre, à l'époque, mais le comte savait fort bien qu'on allait abuser désormais de son temps et faire appel sans vergogne à la bourse du chef de famille qu'il était devenu. Il devrait traiter équitablement sa parenté et s'abstenir de doter l'un plus que l'autre. Comme il pouvait s'y attendre, la semaine précédente à Londres, toutes les maîtresses de maison qui l'avaient reçu lui avaient demandé malicieusement quand il comptait se marier.

– Pas avant très longtemps, avait-il répondu à lady Holland, qui avait d'ailleurs été la seule à faire ce commentaire :

– Vous avez raison. Prenez votre temps, et quand vous aurez rencontré l'amour, assurez-vous que l'élue de votre cœur ne se contentera pas d'agrémenter votre lit, d'orner votre table, et d'augmenter le nombre des bijoux de famille, mais qu'elle sera aussi une bonne mère pour vos enfants.

Cela changeait agréablement du discours tenu par celles de ses hôtesses qui avaient des filles en âge de se marier, et qui paraissaient croire qu'il suffirait à la future comtesse d'Arrow d'avoir assez de sang bleu. Il n'avait rencontré jusqu'alors que des jeunes filles en apparence timides et maladroites. Il lui fut donc facile de déclarer fermement qu'il ne songeait pas au mariage avant la fin de la guerre. Perry, bien entendu, l'avait mis en garde contre les agissements des mères les plus ambitieuses :

– N'oubliez surtout pas, Durwin, que vous êtes une bien meilleure prise aujourd'hui que lorsque vous n'étiez qu'un marin sans avenir!

Le comte s'était mis à rire.

– Je ne suis pas près de mordre à l'appât, si séduisant soit-il!

– Ne vous vantez pas! l'avertit son ami. De plus malins que vous se sont retrouvés au pied de l'autel avant d'avoir compris ce qui leur arrivait!

– Je ne suis pas si naïf, dit encore le comte, et si je me marie, je n'ai pas l'intention de subir du matin au soir le bavardage sans intérêt d'une femme dont le seul mérite est en fait la couronne sur la tête de son père!

Perry éclata de rire.

– Vous en portez une vous-même et vous n'en êtes que plus séduisant.

– Si vous continuez à parler sur ce ton,

menaça le comte, demain je reprends la mer! Les Français me font moins peur que certaines douairières de ma connaissance!

A mesure qu'ils approchaient du château le comte sentait remonter en lui le souvenir de ses courses éperdues de petit garçon dans les escaliers de la vieille tour ou à travers les immenses pièces de réception. Un jour, son fils enfourcherait le cheval à bascule de la nursery, puis monterait un poney en attendant d'être assez grand pour avoir un vrai cheval. Il n'oublierait jamais son excitation quand il avait sauté par-dessus sa première haie, pas plus que sa première truite pêchée dans le ruisseau, près du lac.

– Il faut avouer, Durwin, que votre château est superbe! s'exclama Perry. On ne serait pas surpris d'en voir sortir une troupe de chevaliers en armes!

– J'attends plutôt de voir sortir deux ou trois valets de pied en livrée, riposta le comte, un peu inquiet. Mais on pouvait faire confiance à Bates et il ne fut pas déçu. Il y avait du champagne dans la glacière du bureau, et des sandwiches au pâté pour apaiser la faim du voyage. Le comte dit alors au maître d'hôtel :

– Nous sommes partis tard et nous avons déjeuné en route.

– C'est ce que j'ai pensé, monsieur le comte, mais la nourriture des relais de poste n'est guère appétissante.

– Vous avez tout à fait raison, approuva le comte. La prochaine fois j'emporterai mon repas avec moi.

– Voilà qui est sage, monsieur le comte, répliqua Bates. C'est d'ailleurs ce que faisait toujours Sa Seigneurie, j'entends par là votre père.

Le comte riait en gagnant son bureau.

– Si ce brave Bates doit me houspiller de cette façon, j'aurai sûrement du mal à faire autre chose que « ce que mon père faisait toujours », de même que son propre père et son grand-père avant lui, et ainsi de suite en remontant jusqu'à mon premier aïeul!

– Il y a du bon là-dedans! remarqua Perry. Trop de coutumes et de traditions sont aujourd'hui négligées ou même abandonnées. Les gens mettent cela sur le compte de la guerre, mais la guerre a bon dos. Je crois qu'ils sont simplement négligents ou incapables.

A l'évidence ces épithètes ne s'appliquaient pas au comte. Celui-ci se promit de gouverner le château comme il avait dirigé son navire, avec un soin et une ponctualité tels que personne n'y pût trouver à redire, puis il emmena Perry faire le tour du propriétaire, autant pour son édification que pour celle de son ami.

Il avait oublié la splendeur des pièces de réception. On avait enlevé les housses des meubles et les carreaux des fenêtres étincelaient de propreté comme au temps de son enfance. Ils visitèrent successivement la grande galerie, la salle de bal, la chapelle, et les chambres à coucher auxquelles on avait pour la plupart donné le nom des rois ou des reines qui y avaient dormi jadis. De retour dans le bureau, Perry se laissa tomber dans un fauteuil en s'écriant :

– Tout ce que je puis dire, Durwin, c'est que vous êtes un sacré veinard !

– Il y a encore beaucoup à faire, répliqua le comte. Je dois demander à Marlow de me trouver des peintres et des menuisiers dès que possible.

– Tout me semble en parfait état, dit Perry. Où en sont les écuries ?

– Là, j'aurai besoin de votre aide, répondit le comte. Laissez-moi voir... nous venons d'acheter chez Tattersall une douzaine de chevaux qui devraient être ici maintenant, mais il m'en faudra bien davantage.

– J'espère que vous vous souvenez que vous avez une maison à Newmarket ?

– Elle m'était complètement sortie de l'esprit jusqu'à ce que le prince m'ait rafraîchi la mémoire. J'aurai certainement besoin de chevaux de course, et je veux les meilleurs !

– Naturellement ! peut-il être question d'autre chose ? dit Perry d'un ton railleur.

Au lieu de répondre le comte marcha vers la fenêtre du bureau et se mit à contempler le jardin en pensant qu'il avait en effet de la chance, une chance incroyable même. Avant d'acheter des chevaux de course, il avait néanmoins la ferme intention de veiller à la remise en état de son domaine, et d'entreprendre immédiatement des réparations qui auraient dû être faites depuis longtemps. Marlow lui avait déjà remis une liste provisoire dont la lecture l'avait horrifié. L'hospice ainsi que les chaumières des retraités étaient dans un état lamentable, il n'y avait pas d'école, et ce qui était pire encore, les soldats de retour de la guerre ne trouvaient pas de travail.

« Il y a beaucoup à faire, » se répéta-t-il, heureux malgré tout de constater qu'il ne manquerait pas d'ouvrage, à présent qu'il avait cessé de naviguer.

Un long silence s'établit, rompu seulement par l'entrée de Bates qui annonça :

– Les premiers invités de Sa Seigneurie sont arrivés. Je les ai fait entrer dans le salon bleu, monsieur le comte.

– Qui donc est là ? demanda Perry sans laisser au comte le temps de dire un mot.

– Lady Evelyn Ashby et lady Gratton, monsieur, avec deux messieurs.

Perry regarda le comte.

– Lucille ! s'exclama-t-il d'un air entendu.

Impatient de retrouver sa belle, le comte ne prit pas le temps de répondre et se hâta vers le salon bleu.

***

Shenda se trouvait en haut, intriguée par le remue-ménage qui avait agité tout le château à l'annonce de la réception organisée par le comte.

– Ça va être comme au bon vieux temps, répétait sans arrêt Mrs Davison, qui tenait à la main la liste des chambres que devaient occuper les invités pour la montrer à Shenda.

– Lady Evelyn Ashby sera dans la chambre de Charles II, une autre dame dans la chambre de la reine Anne, une troisième dans celle de la duchesse de Northumberland, et enfin lady Gratton dans la chambre de la reine Elisabeth. C'est cette dame que sa Seigneurie trouve à son goût!

– Comment le savez-vous? demanda la jeune fille un peu surprise.

Mrs Davison sourit d'un air entendu.

– Il y a quelques années de cela – le vieux comte vivait encore – ma nièce a eu la chance d'entrer au service de la maison Arrow de Berkeley Square. Elle s'y plaisait beaucoup et elle était toute triste quand on l'a fermée.

Shenda fit signe qu'elle comprenait, et Mrs Davison poursuivit :

– Figurez-vous qu'elle entend parler du retour de sa Seigneurie, alors elle demande s'il y a une place, et comme elle est du village, on l'engage immédiatement!

– C'est heureux pour elle, dit Shenda.

– Elle m'a écrit tout de suite, et dans sa lettre d'hier elle me dit que sa Seigneurie est un homme charmant, et que la « plus belle dame d'Angleterre », à ce qu'il paraît, aurait des bontés pour lui!

– Croyez-vous qu'il va l'épouser? demanda la jeune fille.

– Pour ça non, miss Shenda! répondit Mrs Davison. Il n'en est pas question! D'après ma nièce, lady Gratton est mariée à un gentleman qui serait à l'étranger avec son régiment.

Shenda parut perplexe, et Mrs Davison croyant s'être mal fait comprendre ajouta vivement.

– Les dames de Londres prennent du bon temps, même si leurs maris sont au loin. Cela ne sert à rien « d'user son cœur sur sa manche, » comme disait ma pauvre mère.

– Ah oui... bien sûr! approuva la jeune fille.

Elle se demanda pourtant ce qu'elle ferait dans le même cas, car elle ne se voyait guère assister sans son mari aux dîners en ville, et encore moins partir seule pour la campagne à l'invitation d'un comte.

« Ces dames pourraient faire mille choses très utiles à nos marins ou à nos soldats, » se dit-elle non sans raison, pour se reprocher aussitôt sa sévérité. Elle avait bien de la chance d'être au château, si loin de la guerre en apparence, et pourtant la présence au village des vétérans estropiés ne s'oubliait pas facilement. Sa pensée allait aux familles dont les fils servaient dans l'armée ou dans la marine. Elle se rappelait les constants témoignages de sympathie de son père à leur endroit, tout comme les femmes, sans nouvelles de leurs enfants depuis des lunes, qui sanglotaient dans le giron de sa mère lorsqu'elle se rendait au village. Il pouvait s'écouler de longs mois entre l'annonce de la perte d'un vaisseau et le retour des survivants, s'il y en avait.

« Je voudrais bien savoir si le comte regrette de ne plus être à bord de son navire ? » se demanda-t-elle en rentrant dans sa chambre.

Elle s'assit et reprit son ouvrage. Tout en raccommodant la dentelle d'un drap déchiré, elle pensait aux histoires extraordinaires qui circulaient dans le village à propos du courage et de l'intrépidité du comte. Les femmes s'assemblaient près du comptoir du boucher, du boulanger, de l'épicier ou même ailleurs, pour parler de la guerre et se raconter les derniers faits d'armes entendus ici ou là. Shenda en avait aussi pris connaissance un jour ou l'autre, le plus souvent le matin, de la bouche de Martha, ou d'autres personnes rencontrées plus tard dans la journée.

– Vous ne croiriez jamais, miss Lynd... commençait invariablement le narrateur. Le village d'Arrowhead avait beau se trouver très loin en apparence du théâtre des combats, le récit des événements ne perdait rien de son intensité dramatique. C'était à qui aurait chaque jour quelque nouveau détail à rapporter.

Elle ne se rappelait pas avoir jamais rencontré le comte, bien qu'elle eût le souvenir vague de l'avoir aperçu lorsqu'elle était tout enfant. Elle imaginait un bel homme à la haute stature comme presque tous les Bow. Les portraits qui garnissaient les murs du château portaient tous la marque d'un air de famille qui s'était maintenu au fil du temps. Depuis son arrivée c'était la galerie de tableaux qui lui procurait ses plus grandes joies. On y voyait quelques portraits, et surtout des œuvres de grands artistes accumulées par les seigneurs d'Arrow depuis des générations. Les Italiens la captivaient, mais elle nourrissait une tendresse particulière pour deux peintures de l'école française, un Boucher et un Fragonard. Quant aux portraits de famille, il y en avait partout, dans les escaliers, le long des corridors, et même dans les chambres à coucher. Ils paraissaient veiller à la fois sur la maison et sur leur descendance, de sorte, se plaisait à croire Shenda, que le jeune comte ne pouvait échapper à leur influence.

Il était assez étrange qu'il eût commencé par inviter tout un groupe d'amis au château avant même de venir se rendre compte de l'état de son domaine, et de la condition de ceux qui le servaient. Il devait aussi rencontrer les fermiers dont elle connaissait les doléances et qui réclamaient depuis longtemps des changements pour améliorer leurs exploitations.

« Il peut refuser à cause de la guerre, se dit-elle, mais il peut au moins réparer les toits et les aider à reconstituer le cheptel. »

« Il a tant de choses à faire ! » pensa-t-elle encore au moment où elle finissait de réparer le drap de dentelles. Le travail était si bien fait qu'on ne retrouvait même pas trace de l'accroc. Elle poussa un soupir en se disant que les affaires du comte ne la regardaient pas, et qu'il fallait éviter d'abord qu'il apprenne qu'elle travaillait au château. Il risquait de s'opposer à ce que la fille d'un pasteur occupât un emploi de domestique, et la perspective d'avoir peut-être à quitter les lieux pour essayer d'aller vivre ailleurs la fit frissonner d'appréhension.

– Nous sommes si heureux ici, dit-elle à Rufus.

Elle décida donc de ne pas se montrer tant que le comte ne serait pas reparti pour Londres. Elle aurait alors de nouveau les jardins et les bois pour elle toute seule.

Rufus s'agitait en regardant la pendule et elle se dit qu'elle devrait aller le promener avant l'arrivée du comte, prévue par Bates au début de l'après-midi. Le petit chien sur ses talons, elle descendit rapidement par un escalier dérobé, et ouvrit une porte qui donnait directement sur le parc.

Dès qu'ils avaient appris le retour du comte les jardiniers avaient fait des heures supplémentaires pour redonner aux jardins leur beauté d'antan. Le temps était doux depuis quelques jours et tant les arbres que les arbustes d'ornement étaient déjà fleuris. Les couleurs éclatantes du printemps remplisaient les parterres et le gazon était aussi vert qu'un tapis de billard. Shenda prit un sentier qui se dissimulait derrière les haies de buis pour aboutir à la cascade. C'était l'endroit qu'elle aimait le plus au monde, parce qu'elle pouvait y regarder l'eau claire surgir des fourrés pour rejaillir de rocher en rocher dans un bruit argentin. Les fleurs de rocaille jaunes, blanches ou roses ressortaient sur le gris sombre des gros cailloux moussus. La vasque de pierre était pleine de poissons rouges nageant paresseusement au milieu des lis d'eau sur le point d'éclore.

– Que c'est beau, que c'est beau! dit-elle à voix haute un peu étourdiment. Terrifiée à l'idée qu'on pourrait la chasser du château, elle se mit à prier pour que le comte ne la découvrit pas. Ses pensées la ramenèrent alors vers l'inconnu qui avait sauvé Rufus du piège, dans les bois. Elle avait encore du mal à croire à la réalité du baiser qu'il lui avait donné. Comment avait-elle pu se laisser embrasser par un homme qui lui était absolument étranger? Cela ne pouvait s'expliquer que par le trouble où elle se trouvait en raison de la situation difficile de Rufus et par l'inconnu lui-même qui paraissait si différent de tous les hommes qu'elle avait vus auparavant.

« Je me suis mal conduite, mais c'était merveilleux! » murmura-t-elle pour elle-même. Le temps passait cependant, et de peur d'être aperçue elle se hâta de rentrer au château.

– Les hôtes de Sa Seigneurie sont arrivés! dit Mrs Davison en entrant avec un air affairé dans la pièce où Shenda venait de se remettre à son ouvrage.

– Est-ce que les femmes sont belles? interrogea celle-ci.

– Ça, vous pouvez le dire! répondit Mrs Davison, et en plus habillées à la dernière mode! Pour un peu leurs chapeaux toucheraient le plafond!

Shenda se mit à rire. Depuis qu'elle était au château, elle voyait souvent Mrs Davison s'absorber dans la lecture du Journal des dames, qu'il lui arrivait elle-même de parcourir avec intérêt, car elle le trouvait divertissant. On y voyait les dames et les messieurs de la haute société caricaturés par Rowlandson ou par Cruikshank, et elle se demandait parfois si les victimes étaient contentes de se voir représentées sous des dehors grotesques. La verve des artistes n'épargnait personne, et surtout pas les grandes dames dont on reconnaissait parfaitement les corps et les visages déformés sous leurs robes transparentes et leurs chapeaux immenses surchargés d'ornements ridicules. Ils n'hésitaient pas non plus à se payer la tête de ceux ou celles qui se donnaient des grands airs.

– C'est une honte, il n'y a pas d'autre mot, s'exclamait Mrs Davison, mais que voulez-vous, tout le monde rit !

Et pour amuser Shenda elle lui montra la série de gravures originales des célèbres caricaturistes qui se trouvaient dans la bibliothèque.

– Feu monsieur le comte les a commandées voilà cinq ans, dit-elle. Chaque fois qu'il en sortait une nouvelle, le libraire de St James'Street en envoyait ici un exemplaire.

– Elles ont dû le faire bien rire, remarqua Shenda.

– Ah ça, c'est sûr, répliqua Mrs Davison. Mais quand sa Seigneurie est tombée gravement malade, personne n'a songé à résilier l'abonnement, de sorte que nous avons continué à recevoir les gravures et que la collection est pour ainsi dire complète à cette heure.

En dépit de leurs cruelles exagérations Shenda trouva les caricatures pleines d'enseignements à propos de ce qu'on appelait alors *le Beau Ton*. Elle dévorait aussi le contenu de la bibliothèque car la lecture était pour elle une véritable délectation. Elle avait soigneusement emballé tous les livres que possédait son père, bien décidée à les conserver malgré tout, mais la bibliothèque du château était immense et nourrie de bons ouvrages par les soins du curateur. Celui-ci, avant de tomber malade l'année précédente, avait régulièrement enrichi le fonds des œuvres les plus dignes d'intérêt, au fur et à mesure de leur parution. C'était comme si on avait confié les clés du paradis à Shenda qui emmenait d'un coup cinq ou six livres dans sa chambre pour se jeter dessus, son travail à peine terminé. La lecture lui ouvrait des horizons nouveaux et lui donnait une chance de parfaire son éducation interrompue par la mort de son père. C'étaient lui et la maîtresse d'école, une vieille institutrice retirée dans une chaumière près du village, qui l'avaient instruite quand elle était petite fille. Les journées étaient toujours trop courtes pour lui permettre d'apaiser sa soif de connaissances. Ses lectures peuplaient le petit monde à part qu'elle retrouvait en entrant dans le bois, et il restait encore beaucoup à découvrir, à en juger par tout ce qu'elle avait lu depuis son arrivée au château.

– Je viens d'apprendre quelque chose qui va sûrement se traduire par du travail en plus! continua Mrs Davison.

– Et quoi donc? s'enquit Shenda.

– Lady Gratton est venue sans sa femme de chambre! Elle a eu un accident, à ce qu'on m'a dit, juste avant que sa Seigneurie quitte Londres.

Elle soupira.

– Je me retrouve à court de personnel, car il va falloir que Rosie se mette au service de Sa Seigneurie. Si la fréquentation des « dames de qualité » m'a jamais appris quelque chose, c'est qu'il faut être à leur disposition vingt-quatre heures sur vingt-quatre!

Visiblement préoccupée, Mrs Davison sortit brusquement de la pièce, laissant seule Shenda qui la regarda partir d'un air lugubre. Elle devait absolument, malgré son envie, renoncer à voir les belles invitées du comte; il lui fallait au contraire se tenir hors de vue pour ne pas risquer de rencontrer ce dernier en leur compagnie.

« Il faut que je sois très prudente! » se persuada-t-elle. Elle avait en fait parlé tout haut et, en entendant le son de sa voix, Rufus se leva de sa chaise et lui toucha le genou d'une patte affectueuse.

– Je dois être très prudente! lui dit-elle, et toi aussi! Si Sa Seigneurie t'entend aboyer, il dira peut-être qu'ils ne veut pas de chiens étrangers dans sa maison! Tu serais alors peut-être, exilé aux écuries!

Remplie d'horreur à cette pensée elle prit le petit chien dans ses bras pour le serrer tendrement sur son cœur.

– Il ne faudrait pas non plus, poursuivit-elle, qu'on nous chasse tous les deux!

Elle déposa un baiser sur le sommet du crâne de Rufus.

– Je suis heureuse ici, dit-elle doucement. Tu es bien nourri, et moi aussi. Nous devons être très sages et faire très attention!

CHAPITRE IV

Le spectacle de la table dans la grande salle à manger rappelait au comte le tableau qu'il épiait jadis du haut de la galerie des ménestrels, quand il était petit garçon. Il avait pris l'habitude de monter furtivement le petit escalier pour aller jeter un coup d'œil sur les banquets offerts par son père et sa mère, bien caché derrière la grille de chêne ajouré. Trônant à un bout de la table sur sa chaise ornée du blason familial, son père avait l'air d'un roi et sa mère qui était venue l'embrasser dans son lit quelques instants avant de descendre, portait une parure de diamants autour du cou et sa tête était couronnée d'un diadème étincelant.

– Maman, vous ressemblez à la reine des fées! lui avait-il dit une fois.

Elle l'avait serré dans ses bras en riant. Après sa mort il avait pensé qu'aucune femme ne serait jamais capable d'égaler sa douceur et sa gentillesse.

A ce moment même, il songeait qu'avec Lucille et les autres dames invitées ce soir-là, sa table réunissait les plus belles femmes qu'on pût imaginer. Sous sa chevelure blonde, brune ou d'un roux flamboyant, chacune dans son genre possédait une beauté singulière à laquelle un homme pouvait difficilement résister.

« Surtout un homme resté en mer si longtemps », songea-t-il avec une grimace.

A la signature de l'armistice, en 1802, il n'était pas rentré en Angleterre, comme tant d'officiers embarqués sur les vaisseaux de Sa Majesté. D'abord parce que son navire avait reçu l'ordre de continuer à croiser quelque part en Méditerrannée, ensuite parce que, s'il obtenait une permission, il voulait en profiter pour visiter une partie du monde qui ne fût pas écrasée sous la botte de Napoléon. Il avait, en conséquence, visité successivement l'Égypte, Constantinople et la Grèce. Son séjour dans ce dernier pays avait éveillé en lui un intérêt passionné. Les nations et les peuples semblaient ouvrir à son esprit de nouveaux horizons, de sorte qu'il n'avait pas regretté d'être si longtemps éloigné de la mère patrie. Quand il crut avoir une chance de rentrer, il était hélas trop tard, Napoléon avait déclaré la guerre, et Nelson ne pouvait plus se passer de lui.

Les plats succédant aux plats et, sur les instructions de Bates, les bons vins de la cave paternelle coulant à flots, il était difficile de ne pas oublier qu'on était en guerre. La conversation raffinée des dames d'une beauté spectaculaire était, ainsi que le comte s'y attendait, truffée d'expressions à double sens. Les yeux et les lèvres étaient souvent plus éloquents que les mots.

– Que ferons-nous demain? demanda Lucille Gratton qui était assise à sa droite.

Elle lui avait déjà fait clairement comprendre ce qu'ils feraient ensemble cette nuit-là.

– J'ai bien des choses à vous montrer sur mon domaine, répondit le comte, et je dois voir aussi dans quel état tout cela se trouve. Il y avait un temple grec au bout du jardin, ainsi qu'une tour de guet en haut du bois. Je me souviens qu'autrefois ma mère y organisait des pique-niques.

– Vous me les montrerez, dit Lucille d'une voix douce, et bien entendu nous serons seuls.

Le comte se demanda s'ils n'allaient pas se faire particulièrement remarquer. Il avait aussi l'intention de visiter les écuries en compagnie de Perry; ils auraient tout loisir de le faire avant d'accueillir les dames qui se lèveraient certainement tard. Il proposerait donc de voir les écuries après un petit déjeuner matinal réservé seulement à ces messieurs.

Quand les dames quittèrent la salle à manger, Lucille eut à peine besoin de chuchoter à l'oreille du comte :

– Ne me faites pas attendre, Durwin chéri. Vous savez que je brûle d'être seule avec vous.

Il en avait également envie, mais des tables de jeu étaient installées dans l'antichambre précédant le grand salon. Toutefois la plupart des assistants souhaitaient visiblement se retirer dès que possible, de sorte que les dames prirent bientôt les devants. Les messieurs s'attardèrent pour boire un dernier verre, et Perry choisit ce moment pour dire au comte :

– Cela ne fait aucun doute, vous êtes un hôte admirable ! De ma vie je n'ai fait meilleur dîner !

– Moi non plus ! renchérit un autre convive.

– J'aurai demain quelques surprises pour vous, répliqua le comte, mais il faut en remercier Perry plus que moi.

Perry eut un sourire modeste.

– Donnez-moi de bons produits, et je vous préparerai de bons repas, voilà tout ce que je puis dire !

Ils éclatèrent de rire et montèrent ensemble à leurs chambres en échangeant des plaisanteries. Le comte leur souhaita une bonne nuit et regagna les appartements du maître de maison. Une fois dévêtu, après le départ de son valet il n'avait qu'un pas à faire pour passer de sa chambre dans « la chambre de la reine Elisabeth », où Lucille l'attendait.

Elle ouvrit les bras, leva la tête et lui tendit ses lèvres.

Le comte eut l'étrange impression d'étreindre une tigresse prête à bondir sur sa proie.

***

– C'est un héros, ni plus ni moins! déclara Mrs Davison, et si la nation était au courant de ses prouesses, elle lui élèverait une statue, aussi sûr que deux et deux font quatre!

L'Intendante venait de faire à Shenda le récit des exploits du comte durant la guerre contre les Français, tels que son valet de chambre les lui avait contés. L'un d'eux fascinait plus particulièrement la jeune fille. Une douzaine de vaisseaux de ligne se trouvaient bloqués dans une rade française par des navires anglais, et le Comte avait pénétré jusque dans le port à bord d'une frégate ennemie capturée quelques jours plus tôt. Il avait eu le temps de couler deux vaisseaux de haut bord avant même d'être reconnu.

– Le valet de Sa Seigneurie me disait, racontait Mrs Davison, que le capitaine – c'est comme ça qu'on l'appelait alors – demandait des volontaires en ne leur cachant pas qu'ils avaient peu de chances d'en revenir vivants. Eh bien, ils voulaient tous aller avec lui!

– Il ne pouvait pas emmener tout le monde! observa Shenda.

– Non, bien sûr, il en a pris douze parmi ceux qui naviguaient avec lui depuis toujours, et ils sont partis à minuit, quand ils ont jugé que les Français devaient dormir.

– Et il a coulé deux vaisseaux de ligne! s'exclama Shenda.

– Les deux plus grands! dit Mrs Davison d'un air triomphant. Et avant même que leurs équipages aient eu le temps de réaliser ce qui arrivait, ils sont repartis avec un mât en moins et deux blessés pour tout dommage.

Ce n'était qu'une histoire parmi celles que Shenda entendrait tôt ou tard. Elle comprenait pourquoi les faits d'armes héroïques du comte étaient devenus le sujet favori des conversations des habitants du château.

« Il faut absolument que je le voie! » se disait-elle. Elle redoutait en même temps d'être chassée du château, le cœur brisé, parce qu'il refuserait « de réduire une jeune fille de bonne famille à la condition d'une domestique », selon l'expression de Mrs Davison.

« Je dois être... prudente, » dit-elle encore à Rufus comme la veille au soir.

C'est seulement lorsqu'elle apprit que tout le groupe était parti en voiture après avoir déjeuné de bonne heure qu'elle s'aventura dans le jardin. Elle prit cependant la précaution de se déplacer vivement à l'abri des buissons, attendant d'être arrivée sous les grands arbres pour laisser Rufus courir et s'ébattre à son aise. Les bois qui bordaient le château n'avaient pas sur elle le même effet magique que le bois du Chevalier près du presbytère. Leur charme était malgré tout suffisant pour expédier encore une fois Shenda dans le monde de ses rêves. Deux heures s'étaient écoulées quand elle s'avisa de hâter son retour, craignant qu'une partie du groupe ne revînt de la promenade avant les autres. Sans savoir au juste où ils étaient allés, elle supposait – elle découvrit plus tard qu'elle ne s'était pas trompée – qu'ils avaient suivi le délicieux itinéraire qui traversait le parc et les bois pour les mener jusqu'à la colline où se dressait la tour d'observation. Sir Justin Bow l'avait fait construire en même temps que le château, car il voulait absolument disposer d'un endroit d'où l'on pût voir la mer. Les livres d'histoire rapportaient, qu'à l'époque, ses hommes montaient la garde sur place pour l'avertir d'un possible retour des Danois. Shenda, qui était allée souvent jusqu'à la tour, pensait que sir Justin devait avoir l'œil perçant, ou alors que les longues-vues existaient en ces temps reculés, car c'était seulement par les journées les plus claires que l'on pouvait apercevoir, très loin vers l'horizon, un trait lumineux qui marquait la présence de la mer. La tour elle-même était un but de promenade unique encore que, réfléchit Shenda, les dames élégantes dussent hésiter sans doute à salir leurs beaux atours en gravissant l'escalier tortueux qui conduisait au sommet.

« Je suis sûre que ces messieurs seront trop heureux de les aider, se dit-elle avec un petit sourire, sinon elles devront les attendre dans le corps de garde, où les archers de sir Justin se tenaient autrefois, dit-on, prêts à intervenir. »

Toujours escortée de Rufus, elle atteignit enfin le château entra par la porte du jardin, et gravit un escalier qu'on utilisait rarement. Elle n'avait pas regagné son atelier depuis deux minutes que Mrs Davison pénétra dans la pièce, l'air affairé.

– Oh, vous êtes là, miss Shenda! dit-elle. J'ai du travail pour vous.

– De quoi s'agit-il? demanda la jeune fille.

Mrs Davison lui tendit un ravissant réticule de soie garni de minuscules galons de dentelle.

– Ceci appartient à lady Gratton, dit-elle, et au moment de le ranger, croyez-le ou non, cette idiote de Rosie a trouvé le moyen d'accrocher la dentelle au coin d'un tiroir.

Shenda se saisit du réticule.

– Ce n'est qu'une petite déchirure, dit-elle calmement. Je vais la réparer si proprement que Sa Seigneurie ne soupçonnera même pas ce qui est arrivé!

– Avec ces femmes de chambre, c'est toujours la même chose! s'écria Mrs Davison d'un ton courroucé. Elles n'ont qu'une idée en tête, c'est de redescendre à l'office pour bavarder avec les hommes, et voilà tout!

– Dites à Rosie de ne pas se tracasser, personne n'est à l'abri de ce genre d'accident, dit Shenda. Et donnez-moi d'autres vêtements à raccommoder car je n'ai rien à faire pour le moment.

– Eh bien, dans ce cas vous pouvez vous

remettre à la confection de votre robe. Je vous ai fourni le tissu, et plus tôt je la verrai sur vous, mieux ce sera!

– Mais elle est déjà finie! dit Shenda.

– Là! qu'est-ce que je vous disais! s'écria Mrs Davison. La vieille Maggie n'aurait pas été plus rapide!

– Je la mettrai ce soir pour que vous puissiez la voir, promit Shenda. En vérité j'en suis très fière!

– Il me reste de quoi en faire une autre, répondit Mrs Davison.

– Vous êtes trop aimable, dit Shenda. Je vous la paierai quand je toucherai mes premiers gages.

– Vous ne ferez rien de tel, protesta Mrs Davison. De toute façon ce tissu n'est pas à moi. Cela fait des années qu'il traîne dans les placards! Depuis le temps, j'ai oublié pourquoi nous l'avons acheté. Il est probable que madame la comtesse avait son idée là-dessus.

Elle jeta un coup d'œil à la pendule et s'exclama :

– Les hôtes de Sa Seigneurie seront de retour pour le thé, dit-elle. Et je n'ai pas fini d'inspecter les chambres. On ne peut pas faire confiance à ces jeunes servantes, ça, c'est sûr!

Elle sortit vivement de la pièce et Shenda laissa échapper un petit rire. Elle s'était aperçue en effet que Mrs Davison, après des années d'autorité bienveillante sur trois vieilles femmes aussi expérimentées qu'elle, adorait régenter les jeunes villageoises venues servir au château. Toutes fières de leur nouveau statut qui leur donnait de l'importance au village, elles se laissaient d'assez bonne grâce bousculer par l'Intendante.

Assise à sa table, près de la fenêtre, Shenda examinait le réticule endommagé. Elle avait appris que lady Gratton portait une robe de mousseline vert émeraude au dîner de la veille. Le jupon sous la robe était si transparent qu'elle était pratiquement nue, à en croire Mrs Davison. En raison du surcroît de travail que lui imposait l'absence de sa caméristе, l'Intendante admirait beaucoup moins lady Gratton que deux autres dames du groupe, au demeurant fort charmantes. Et bien qu'elle n'en eût rien dit, Shenda la soupçonnait de ne pas la trouver digne du comte. Pour Mrs Davison, c'était le bon Dieu, qui méritait au moins une reine ou à la rigueur une déesse!

Le réticule était en satin vert d'une couleur assortie à la robe décrite en termes cinglants par Mrs Davison. L'étroit galon de dentelle brodé à la main avait dû coûter très cher. Elle trouva du fil de soie de même couleur dans son panier à ouvrage. Un cordon que l'on passait autour du bras fronçait le haut du réticule qui se fermait ainsi sous l'effet de son propre poids. Shenda desserra le cordon pour tirer du petit sac les différents objets qui s'y trouvaient. Il y avait d'abord un mouchoir bordé de dentelle et délicieusement brodé aux initiales de lady Gratton. Il y avait aussi une petite boîte en or contenant de la pommade pour les lèvres, ainsi qu'une autre boîte plus grande de la taille d'une tabatière qui servait de poudrier. Shenda s'intéressa un instant à cet emballage si luxueux pour de simples produits de beauté, et vit que l'une des boîtes avait un fermoir de diamants tandis que l'autre était ornée de la lettre *L* en saphirs incrustés.

« Je suppose qu'il s'agit de cadeaux de son époux », se dit-elle.

C'est alors, qu'en passant la main à l'intérieur du réticule afin de réparer plus commodément la dentelle, en tendant le tissu, elle sentit qu'il y avait encore autre chose. C'était un petit morceau de papier qu'elle choisit d'extraire du sac pour éviter de le déchirer. Elle le déplia et fut étonnée d'y voir des mots français alignés d'une écriture petite et vigoureuse. Oubliant qu'il s'agissait sans doute d'une correspondance privée, elle lut :

Où se trouve le groupe de l'Expédition Secrète ?
500 £
Pour découvrir l'emplacement de Nelson
100 £

Shenda lut et relut ces quelques mots, croyant

d'abord rêver. Puis elle comprit qu'elle était bel et bien tombée sur un message adressé par un espion français à l'amie intime du comte, lady Gratton!

Si quelqu'un devait connaître les réponses aux questions posées par sa découverte, c'était lui. Elle relut encore deux ou trois fois le message avant de le poser sur la table près du mouchoir et de se mettre à raccommoder le réticule. Elle n'en eut pas pour longtemps et remit bientôt en place le mouchoir et les boîtes. Son cœur se serra soudain à la pensée qu'il lui fallait avertir le comte. Elle alla jusqu'au bureau que Mrs Davison lui avait installé dans un coin de la pièce, prit une plume et recopia mot pour mot le message en prenant soin d'imiter l'écriture de son auteur. Après avoir replacé le petit morceau de papier dans le réticule, elle se mit à redouter sa nécessaire entrevue avec le comte.

C'était une chose de se cacher de lui pour demeurer le plus longtemps possible au château, mais c'en était une autre de savoir qu'un de ses hôtes espionnait à son insu pour le compte des Français. La difficulté allait être, elle le savait, de le rencontrer sans témoins, afin de ne pas éveiller la curiosité des habitants du château. La plupart des domestiques la prenaient pour une simple couturière. Elle réfléchit quelques instants, puis décida de se fier à Bates, qu'elle connaissait depuis des années, et qui, tout comme Mrs Davison, avait aimé ses parents. Lorsque l'Intendante revint dans la pièce Shenda lui tendit le réticule. Après avoir en vain cherché la moindre trace de l'accroc, elle s'écria :

– Que vous êtes adroite, miss Shenda ! Je défie qui que ce soit de découvrir ce que je ne saurais voir de mes yeux !

– Je suis heureuse de vous donner satisfaction, sourit Shenda.

– C'est Rosie qui sera soulagée ! remarqua Mrs Davison. Je lui ai déjà dit – encore une étourderie de ce genre et je la renvoie au village !

– Oh, Mrs Davison, vous n'auriez pas cette cruauté, protesta la jeune fille. Vous savez à quel point sa mère et toute sa famille sont enchantées de lui avoir trouvé un emploi ici-même avec vous, quand elles redoutaient de l'envoyer chercher du travail à Londres, pour son malheur peut-être.

– Ça, on ne peut pas dire, je veille sur mes filles ! répondit L'Intendante.

– C'est bien vrai, dit Shenda. Maman disait toujours qu'elles avaient de la chance d'être sous vos ordres, et que le service au château était la meilleure formation qu'une fille pût recevoir.

– Eh bien, je fais de mon mieux, fit modestement Mrs Davison, qui sortit de la pièce en emportant le réticule, un sourire épanoui aux lèvres.

Shenda regarda la pendule. A cette heure tout

le monde était rentré de la promenade, on avait pris le thé, et les dames devaient se reposer dans leurs chambres en attendant le dîner.

Elle descendit donc sans faire de bruit par l'escalier de service et jeta un coup d'œil dans l'office, où par chance Bates se trouvait seul occupé à tirer d'un coffre-fort l'argenterie qui servirait au dîner. Il en était très fier et personne d'autre que lui n'avait la permission d'y toucher. Le soir chacune des précieuses pièces retrouvait sa housse de feutrine verte et sa place dans le coffre. Il venait précisément de poser sur la table de l'office une superbe corbeille d'argent dessinée par Paul Lameric. Apercevant la jeune fille il s'exclama :

– Regardez-la, miss Shenda! Je ne m'en suis pas servi depuis trois ans! Cela fait plaisir de la voir émerger de l'obscurité!

Il parlait de la corbeille comme d'un être doué de sentiment et Shenda répliqua :

– Nul n'aurait su lui garder sa beauté intacte ainsi que vous l'avez fait.

Il lui sourit, puis s'avisant de la présence inaccoutumée de la jeune fille à l'office, s'enquit aimablement :

– Puis-je faire quelque chose pour vous, miss Shenda?

– Oui, vous le pouvez, répliqua Shenda. Il faut que je voie Sa Seigneurie en particulier, c'est de la plus haute importance!

Bates se débarrassa de son tablier de feutrine verte et remit sa veste.

– Venez avec moi, mademoiselle. Si je ne me trompe, Sa Seigneurie est en train de lire son courrier dans son bureau.

Ils empruntèrent le grand passage qui partait de l'office, dépassèrent la salle à manger, laissant plusieurs autres pièces derrière eux, et débouchèrent dans le hall. Quatre valets de pied en livrée se redressèrent à l'approche de Bates, regardant droit devant eux comme on leur avait appris à le faire. De l'autre côté du hall s'ouvrait un autre grand passage qui conduisait par le salon Rubens jusqu'à la grande bibliothèque, aussi vaste que trois salles réunies. Arrivé devant la porte du bureau, Bates marqua un temps d'arrêt. Shenda comprit qu'il essayait d'entendre les voix qui pouvaient venir de l'intérieur. Il fit signe à la jeune fille de se tenir en retrait, afin de ne pas être vue si d'aventure le comte n'était pas seul, puis il ouvrit la porte. Il fit encore une pause pour jeter un coup d'œil circulaire avant de dire :

– Pardonnez-moi, monsieur le comte, pouvez-vous consacrer quelques instants à une personne qui désire voir Votre Seigneurie, et qui dit que c'est important !

– Oui, je suppose, dit le comte en levant les yeux du secrétaire devant lequel il était assis. Qui est cette personne ?

Bates évita de répondre à la question et se contenta de faire signe à Shenda d'entrer dans la pièce. Elle s'avança lentement, la tête droite, consciente de sa timidité à l'instant de rencontrer pour la première fois l'homme dont on lui avait tant parlé. Il finissait d'écrire la lettre commencée avant l'intervention de Bates, et quand il leva la tête elle avait presque atteint son bureau. En apercevant son visage elle eut une exclamation de surprise et dit sans réfléchir :

– Oh, c'est vous!

Devant ses yeux se trouvait le gentleman qui avait sauvé Rufus, et qui, avant de la quitter, lui avait donné son premier baiser. Elle était d'autant plus étonnée de le voir qu'on lui avait dit et répété sur tous les tons que c'était sa première visite au château. Jamais elle n'eût imaginé que l'inconnu qui l'avait enlevée dans ses bras pour la mettre sur son cheval et le comte pussent être une seule et même personne. Ils étaient maintenant face à face, et c'est lui qui le premier revint de sa surprise pour demander :

– Que faites-vous ici?

Il se leva lentement tout en parlant, et comme s'ils ne trouvaient rien d'autre à dire, ils se regardèrent longuement jusqu'au moment où Shenda eut la force d'articuler d'une voix imperceptible :

– Il... il fallait que... je vous voie... c'est très... important!

– Vous ignoriez qui j'étais? demanda-t-il.

– Je... je n'en avais pas... la moindre idée!

Le comte parut faire un effort pour ajouter :

– Puisque vous vouliez me voir, je vous suggère de vous asseoir et de me dire pourquoi vous êtes venue au château.

Il fit le tour du bureau et lui désigna le sofa qui se trouvait près de la cheminée. Il vit du même coup que Shenda ne portait pas de chapeau. Elle lui apparut exactement la même que le jour de leur rencontre dans le bois. Elle s'était assise sur le sofa sans oser le regarder. Il comprit qu'il l'intimidait et dit alors pour la mettre à l'aise :

– J'imagine que Rufus a récupéré depuis sa mésaventure dans le bois?

– Ou... oui... il est... tout à fait guéri, répliqua Shenda, mais le piège que je vous ai demandé de faire disparaître était à vous, je le vois bien maintenant!

– C'est mon régisseur qui avait ordonné de le placer là, expliqua le comte, mais je lui ai donné de nouvelles instructions : plus de traquenards dans le bois du Chevalier, ni dans les bois autour du château.

– Oh... merci, s'écria la jeune fille. C'est vraiment... très gentil... de votre part. Je craignais... que Rufus ne se fasse prendre... une nouvelle fois.

– Je vous promets qu'à présent il est en sécurité, répliqua le comte. Il vit les grands yeux déborder de gratitude et reprit, se forçant à revenir à la réalité :

– Maintenant, dites-moi pourquoi vous vouliez voir le propriétaire du château, si vous ignoriez que c'était moi.

Shenda retint sa respiration. Curieusement, maintenant qu'elle savait à qui elle avait affaire, il lui paraissait encore plus difficile de lui parler de sa découverte. Puis elle se dit qu'il fallait s'occuper immédiatement de tout individu capable de mettre en danger la vie des soldats et des marins britanniques. Sans un mot elle tendit au comte le morceau de papier sur lequel elle avait recopié le message trouvé dans le réticule de lady Gratton. Il le lui prit des mains sans le regarder, la trouvant encore plus adorable à ce moment que dans son souvenir, puis il abaissa les yeux sur le morceau de papier et se raidit brusquement.

– Où avez-vous trouvé ceci?

– C'est... la copie d'un message... q... que j'ai trouvé... dans le réticule d'une dame, répliqua Shenda.

– Dans le réticule d'une dame? répéta le comte. Comment se trouvait-il entre vos mains?

– C'était... ici... au château, murmura la jeune fille.

– Mais pourquoi? Que faisiez-vous ici?

Shenda hésita visiblement avant de répondre d'une toute petite voix :

– Je... je suis... votre nouvelle... couturière, monsieur le comte.

Ce dernier la dévisagea comme s'il n'en pouvait croire ses oreilles et dit alors :

– Qui vous a engagée, et pourquoi?

– La vieille... couturière est morte il y a trois ans... et Mrs Davison ne l'avait pas remplacée... jusqu'au moment où elle apprit... le retour de Votre Seigneurie.

– Alors vous êtes simplement venue la remplacer?

– Oui... monsieur le comte.

– Et c'est ainsi que le réticule de cette dame est passé par vos mains? De quelle dame s'agit-il?

– De lady Gratton!

Le Comte articula entre ses dents serrées :

– Je n'en crois rien! Comment diable est-ce possible?

Shenda comprit qu'il parlait surtout pour lui-même, et dit au bout d'un moment :

– J'ai... cru de mon devoir... de vous l'apporter, monsieur le comte.

– Vous en comprenez le sens, bien qu'il soit écrit en français?

– Je... je parle... le français, monsieur le comte.

– Vous savez de quoi il est question?

– Oui.

– Que voulez-vous dire?

Shenda répondit après quelques instants :

– J'ai... entendu parler... de l'expédition secrète.

Il la regarda de nouveau d'un air incrédule, mais sa voix était dure quand il reprit :

– Vous connaissez l'existence de l'expédition secrète? Qui aurait bien pu vous la révéler?

Il avait l'air tellement abasourdi qu'elle ne put s'empêcher de sourire.

– Le fils du docteur... monsieur le comte... est l'un des officiers embarqués... avec son régiment... sur les navires... qui transportent le corps expéditionnaire.

Le comte passa la main sur son front.

– Je crois rêver! Tout cela doit rester absolument secret!

– Je sais, dit la jeune fille, mais quand il est venu en permission le lieutenant Doughty... a parlé à son père des ordres qu'il avait reçus... et le docteur en a touché un mot à Papa.

– Vous voulez dire qu'en ce moment-même tout le village est en train de parler de l'expédition?

– Oh... non... monsieur le comte. Guy Doughty avait fait jurer le secret à son père... et le mien ne trahissait jamais... les confidences de ses paroissiens.

– Eh bien cela devrait me tranquilliser! fit ironiquement le comte. Quoi qu'il en soit, je suppose que vous ignoriez la réponse à la deuxième question.

– Je crois la connaître, monsieur le comte, répliqua Shenda.

Il la regarda sans rien dire comme s'il ne trouvait plus de mots pour exprimer sa pensée.

– Un matelot de l'équipage... du bâtiment de l'amiral Nelson... est marié à une fille du village... qui est revenue vivre chez ses parents... jusqu'à son retour. Par mesure de prudence... toutes ses lettres sont écrites dans un code spécial.

– Et il a pu lui dire où se trouve l'amiral Nelson? demanda le comte d'un air de doute.

Shenda ne put retenir un clin d'œil malicieux devant l'ahurissement du comte qui vit une fossette se creuser au coin de sa bouche alors qu'elle lui disait :

– Il écrivait dans sa dernière lettre :

Ma main gauche me démange, et demain je vais penser au gâteau que fait ta mère tous les dimanches.

Le comte resta muet, visiblement dans l'attente d'une explication de la jeune fille.

– Parce qu'il l'aime... où qu'il se trouve... il regarde toujours vers l'Angleterre. Si sa main gauche le démange, c'est qu'il fait route à l'ouest, et la gâteau que sa mère confectionne chaque dimanche s'appelle « un Madère »!

– Je n'arrive pas à y croire! s'exclama le comte qui s'assit sur une chaise pour étudier le papier que lui avait remis Shenda. Son cerveau bien organisé se mit à fonctionner. Si, comme l'avait indiqué la jeune fille, le message se trouvait dans le réticule de lady Gratton, celle-ci, avec ses yeux enjôleurs et sa mine boudeuse incarnait bien le danger évoqué par lord Barham. Elle recevait de l'argent des Français en échange des renseignements obtenus de ses amants. Son correspondant, quel qu'il fût, devait être au courant de leur intrigue. Revenu de la Méditerranée depuis peu, et à cause de ses contacts avec l'Amirauté, il était plus que tout autre à même de connaître les réponses aux deux questions du message. Furieux d'être ainsi abusé par sa maîtresse, il songea d'abord à confondre Lucille Gratton en lui disant ce qu'il pensait de sa perfidie. Puis ses sentiments lui parurent secondaires à côté de l'impérieux devoir d'éliminer celui – ou ceux – qui l'utilisaient au profit de Napoléon. Il demeura silencieux de longues minutes avant d'adresser de nouveau la parole à Shenda :

– Je suppose que lady Gratton ignore que vous avez découvert ce papier?

– Oui, monsieur le comte, elle l'ignore. C'est sa servante qui a déchiré la dentelle du réticule et c'est Mrs Davison qui me l'a donnée à recoudre.

– Elle ne vous a donc pas vue?

– Non, monsieur le comte.

– Cependant vous êtes ici, à mon service je présume?

– Oui, monsieur le comte.

Elle se demandait ce qu'il avait en tête.

– Je me pose une question à votre sujet, Shenda. Seriez-vous prête à faire quelque chose pour votre pays ? Je dois vous avertir qu'il peut y avoir du danger.

La jeune fille le dévisagea d'un air surpris avant de répondre :

– Je ferai... tout ce qui est en mon pouvoir... monsieur le comte... pour aider les hommes tels que vous... à battre Napoléon... et à mettre fin à cette horrible guerre !

– Je m'attendais à cette réaction, dit-il. Je vais vous demander d'être la femme de chambre de lady Gratton pendant la durée de son séjour ici.

Les yeux de Shenda s'agrandirent démesurément. Elle faillit d'abord refuser une offre que sa mère eût certainement jugé indigne d'elle. Puis elle réfléchit et se demanda ce qui comptait le plus ? Qu'elle fût une lady, ce dont le comte ne faisait pas grand cas, ou qu'elle s'engageât, comme il l'avait fait lui-même, à combattre un ennemi qui paraissait avoir tous les atouts dans son jeu ?

Elle fit un effort pour dire, un peu effrayée :

– Je ferai... tout ce que vous... souhaitez que je fasse... monsieur le comte.

– Merci, répondit celui-ci. Je vais être franc avec vous, Shenda, car je vous sais intelligente. Vous devez me croire si je vous dis que ce que vous venez de m'apporter est de la plus haute importante pour l'Amirauté !

– J'avais pensé... à quelque chose... de ce genre.

– En premier lieu, dit le comte, me promettez-vous de ne parler à personne de notre conversation, et de ne jamais rapporter ce qui s'est dit dans cette pièce à qui que ce soit, au château ou ailleurs ?

– Je le jure ! dit la jeune fille. En fait je n'ai encore parlé à personne... sauf à Bates... à qui j'ai simplement dit... que je désirais vous voir !

– Parfait ! dit le comte. Et maintenant je vais raconter à Mrs Davison que je désire veiller tout particulièrement au confort de lady Gratton, et que je veux que vous preniez soin d'elle.

– Je pense, monsieur le comte, que Mrs Davison s'étonnera de constater que vous avez déjà fait ma connaissance.

– Je peux toujours lui expliquer, se hâta de dire le comte, qu'à mon retour en Angleterre, j'ai commencé par aller voir ma maison de Berkeley Square, que j'ai trouvée dans un état pitoyable.

Il s'arrêta pour s'assurer qu'elle l'écoutait avant de poursuivre :

– J'ai alors décidé de me rendre immédiatement le château pour voir s'il était toujours le même, après toutes ces années d'absence.

Il eut un léger sourire avant de continuer :

– Je n'étais pas revenu depuis quatorze ans, et je craignais, je l'avoue, de découvrir un semblant de château, les murs écroulés, le toit tombé dans le grenier, en un mot la fin de mes illusions.

– Cela... se comprend, dit doucement Shenda.

– Debout dès l'aube, reprit le comte, j'ai loué le meilleur cheval et je suis venu de Londres au galop, simplement pour jeter un coup d'œil.

Il reprit haleine avant de conclure :

– Il était bien là, exactement comme dans mes rêves !

Il aperçut une lueur de compréhension dans les yeux de Shenda, qu'il trouvait de plus en plus adorable, et poursuivit :

– Je ne voulais voir personne, car il ne faut jamais arriver à l'improviste sans se faire annoncer.

Il lui sourit.

– Vous savez le reste ! J'ai pu rendre service à une charmante jeune fille rencontrée au fond des bois.

– Vous avez été... très obligeant, murmura Shenda. Je n'oublierai jamais ce que vous avez fait... pour Rufus... mais je ne savais pas... il ne m'est pas venu à l'esprit... que vous pouviez être... le jeune comte.

– Je suis reparti directement pour Londres, continua le comte, mais j'avais peine à croire que vous étiez bien réelle, et non une apparition féérique au milieu d'un bois enchanté.

Ces paroles furent dites avec un tel accent que Shenda se sentit rougir et dut détourner les yeux.

– C'est notre deuxième rencontre, dit le comte

d'un ton qu'il s'efforçait de rendre naturel, et si vous avez eu d'abord besoin de mon aide, aujourd'hui je vous demande de m'accorder la vôtre ! Je veux bien que les espions de Napoléon soient partout, mais qu'il s'en trouve même sous mon toit, c'est un peu fort !

Sa voix tremblait d'une fureur contenue qui n'échappa pas à la jeune fille. Il poursuivit d'un ton plus calme :

– Comme je l'ai dit, nous allons tous les deux chercher maintenant à démasquer l'espion qui se cache derrière l'espionne, celui qui commande, l'homme ou la femme qui est en contact avec Bonaparte.

– Je suis sûre... que ce sera... très difficile, murmura Shenda?

– Je n'ai jamais encore perdu de bataille, répliqua le comte, et avec votre aide, Shenda, je gagnerai celle-là !

Il se leva tout en parlant et elle fit de même. Ils se regardèrent, ses yeux fixèrent un instant sa bouche, mais devant la confusion de la jeune fille il s'empara de sa main pour y déposer un baiser.

– Merci, Shenda, dit-il. Soyez prudente ! Ces gens sont dangereux !

CHAPITRE V

En quittant le comte, Shenda courut à la recherche de Mrs Davison qui n'était pas dans sa chambre et qu'elle finit par trouver dans la lingerie au moment même où un valet de pied lui disait :

– Sa Seigneurie désire vous voir dans son bureau, Mrs Davison.

– J'y vais tout de suite, dit-elle, abandonnant les taies d'oreiller qu'elle était en train de trier.

Elle se disposait à suivre le valet quand Shenda la retint par le bras.

– Écoutez-moi, fit la jeune fille dans un souffle. Je quitte à l'instant... Sa Seigneurie. Quoi qu'il puisse... vous demander... me concernant... acceptez mais ne lui dites pas... qui je suis.

Mrs Davison lui lança un regard étonné, mais se hâta sur les traces du valet pour ne pas faire attendre le comte plus longtemps. Shenda retourna dans sa chambre, s'assit et se prit la tête à deux mains. Comment prévoir ce qui venait d'arriver? Comment imaginer que sa position au château pût se trouver ainsi compromise à cause de lady Gratton?

Puis elle comprit que, même s'il devait lui en coûter sa place, il fallait à tout prix empêcher les espions de Napoléon d'obtenir les renseignements qu'ils cherchaient.

***

– Entrez, Mrs Davison, dit le comte. J'ai besoin de vous parler.

Elle s'avança respectueusement jusqu'au bureau derrière lequel il était assis, et fit une révérence.

– J'espère que vous êtes satisfait, monsieur le comte.

– En si peu de temps, vous avez fait des merveilles répondit-il, et je vous en suis très reconnaissant.

Après un petit silence il reprit :

– Je voudrais vous parler de lady Gratton.

– De lady Gratton, monsieur le comte? s'exclama l'Intendante.

– Elle est très exigeante, dit-il, et il lui faut des soins particuliers, car elle est venue de Londres sans sa femme de chambre qui vient d'être victime d'un accident.

Mrs Davison se raidit, comme sous l'effet d'un reproche mais il continua :

– J'ai pensé, puisque Shenda est au château – et je crois que c'est une excellente couturière – qu'elle pourrait s'occuper de lady Gratton pendant le reste de son séjour ici.

Il surveillait l'effet produit par ses paroles, et ne manqua pas de remarquer l'expression de consternation qui envahit brusquement le visage de l'Intendante. Ses lèvres s'entr'ouvrirent comme pour protester, mais au prix d'un terrible effort elle articula faiblement :

– Très bien, monsieur le comte, puisque vous le désirez, je parlerai à Shenda.

– Merci, Mrs Davison, dit le comte qui n'éprouva pas le besoin d'en dire davantage et se remit à écrire. L'Intendante comprit que l'entretien était terminé, fit une nouvelle fois la révérence et quitta la pièce. Elle gravit les escaliers précipitamment et se rendit tout droit chez Shenda pour lui demander :

– Alors, miss Shenda, qu'est-ce que c'est que cette histoire, et comment se fait-il que Sa Seigneurie soit au courant de votre présence au château ?

La jeune fille se leva et conduisit Mrs Davison jusqu'au sofa qui remplaçait son lit pendant la journée.

– Je vous connais depuis l'âge le plus tendre, dit-elle de sa voix douce, Maman vous aimait beaucoup, vous le savez. Quant à Papa, il avait coutume de dire que tant que vous seriez au château, tout irait pour le mieux.

Un sourire se dessina sur les lèvres de Mrs Davison et Shenda poursuivit :

– Je vais vous demander de me croire si je vous dis que j'ai une excellente raison de m'occuper de lady Gratton, et si je vous prie de ne pas me poser de questions auxquelles je ne pourrais pas répondre.

– Je ne comprends pas, protesta Mrs Davison, et ça c'est un fait !

– Je sais, dit la jeune fille. Je serai sûrement en mesure de vous expliquer plus tard pourquoi Sa Seigneurie m'a demandé de prendre soin de lady Gratton.

– Si vous voulez mon avis, dit l'Intendante, ce n'est pas à vous de faire ce travail, et je ne comprends pas pourquoi madame la comtesse l'a suggéré, même si elle veut en profiter pour faire retoucher ses robes sans bourse délier.

Shenda réalisa soudain que le comte avait dû donner ce prétexte à Mrs Davison, et se hâta d'expliquer :

– Vous savez, pour moi c'est une chance de pouvoir me rendre utile. Sa Seigneurie ne me trouvera pas trop jeune pour l'emploi, et Rufus et moi pourrons rester au château.

– Bon, c'est une chose à ne pas oublier non plus ! admit à contrecœur l'Intendante.

Shenda déposa un baiser sur sa joue.

– Assurez-vous seulement, si c'est possible, que personne n'en parle à l'office, et sans doute Sa Seigneurie m'oubliera-t-elle après son départ.

Soulagée de voir que Mrs Davison était apaisée, elle pensa néanmoins que, sauf dans le cas où elle pourrait lui fournir d'autres preuves de la culpabilité de lady Gratton, le comte l'oublierait en effet certainement quand il repartirait pour Londres. De son côté elle prenait conscience de l'impossibilité d'oublier l'étrange sensation qui l'avait envahie au moment où il l'avait embrassée.

***

Or le comte n'avait nullement oublié Shenda. Il pensa même à elle ainsi qu'à sa découverte tandis qu'il s'habillait pour le dîner.

Il descendit au salon où devaient s'assembler bientôt les invités qui séjournaient sous son toit ainsi que plusieurs personnes du voisinage. Il pensait aussi à Lucille, qu'il avait admirée puis désirée, mais dont la conduite maintenant le révoltait. Il se demandait comment elle avait pu le séduire alors que ses mains étaient rouges du sang de ceux qu'elle livrait à l'ennemi pour un peu plus de « trente pièces d'argent ». Il eût été ravi de la faire conduire à la Tour de Londres pour y être interrogée sans ménagements. Puis il se rappela que pour réunir les renseignements demandés par lord Barham il lui fallait maintenant jouer la partie la plus difficile de toute sa carrière. Vaincre l'ennemi dans la fournaise des combats était pour lui monnaie courante. C'était une autre affaire d'avoir à feindre un désir qu'il n'éprouvait plus pour une femme aussi dangereuse qu'un serpent à sonnettes. Et pourtant Lucille ne devait en aucun cas s'apercevoir que son ardeur faiblissait à cause de ses soupçons. Si par malheur cela devait arriver, alors l'homme qu'ils cherchaient, l'espion qui distribuait si généreusement l'or de Napoléon, risquait de leur échapper. Ses années de marine, surtout lorsqu'il commandait un navire, lui avaient appris à rester parfaitement maître de lui-même et de ses émotions. De même qu'il affrontait sans crainte les plus grands dangers, de même était-il résolu, pour le salut de l'Angleterre, à cacher à Lucille la véritable nature de ses sentiments. Il haïssait à présent la lueur qu'il voyait s'allumer dans ses yeux, ou les mots qui sortaient de sa bouche et qui avaient naguère enflammé sa passion. Alors, tandis qu'elle cherchait à l'accaparer, d'abord pendant le dîner, puis aux tables de jeu où il devait bien entendu payer ses dettes, deux yeux gris vinrent avec insistance s'imposer à son esprit. Clairs et innocents comme ceux d'un enfant, les yeux de Shenda évoquaient irrésistiblement les douces lèvres qu'il avait un jour embrassées. Il n'aurait jamais dû autoriser créature si parfaite et si adorable à s'approcher de Lucille. Il comprenait aussi ce que la sensualité de leurs rapports avait de choquant pour Shenda. Il ne pouvait pas la laisser soupçonner l'abîme de dépravation qui se cachait sous les dehors raffinés d'une femme aux prétentions de grande dame. Pourtant si l'innocente et pure Shenda devenait la camériste de Lucille, il lui serait impossible au matin de ne pas remarquer les draps en désordre et les oreillers froissés, témoins explicites de ce qui s'était passé la nuit précédente.

C'est alors que le comte décida de faire son possible pour protéger la jeune fille. Il profita d'un moment où il se trouvait seul avec Lucille à l'écart des autres convives dans un coin du salon pour lui dire à voix basse :

– Cette nuit – venez chez moi.

– Dans votre chambre? demanda la jeune femme étonnée.

– Je vous expliquerai plus tard, répliqua-t-il, mais faites ce que je vous dis.

Ils furent interrompus par l'un des invités qui voulait prendre congé, de sorte qu'il n'eut pas le loisir d'en dire davantage. Quand Lucille le rejoignit dans sa chambre, vêtue seulement d'une chemise de nuit transparente et enveloppée d'un nuage de parfum français, il se dit qu'au moins Shenda n'aurait pas l'occasion d'apercevoir les preuves de son crime.

***

La nuit venue, alors qu'ils étaient allongés l'un près de l'autre, Lucille, momentanément satisfaite, dit d'une voix câline :

– Durwin chéri, est-ce que la mer vous manque?

– Naturellement, répondit le comte, c'est dur à mon âge de commencer une nouvelle existence.

Elle se mit à rire.

– Je ne connais pas d'homme plus jeune qui soit aussi ardent que vous, dit-elle, mais quand vous me faites l'amour, je me demande parfois si vous ne préféreriez pas voguer sur les flots vers quelque destination secrète.

Il y eut un petit silence suivi d'un bâillement du comte :

– Je suis épuisé, dit-il. J'ai si sommeil que je ne pense plus qu'à dormir. C'est bon de savoir que je n'aurai pas besoin de me lever à l'aube pour prendre le premier quart!

Lucille ne dit rien, mais il voyait bien qu'elle cherchait quelque moyen d'aborder de nouveau le sujet. Au bout d'un moment, elle reprit :

– Parlez-moi de l'amiral Nelson. Est-il vraiment le bourreau des cœurs que l'on dit?

Elle attendit la réponse, songeant même à demander innocemment au comte si lord Nelson se trouvait en ce moment auprès de lady Hamilton, mais en se tournant vers lui, elle eut la surprise de constater qu'il dormait déjà profondément.

*
* *

Shenda se mit au service de lady Gratton plus facilement qu'elle ne l'avait d'abord cru. Quand elle avait aidé madame la comtesse à s'habiller pour le dîner, celle-ci avait demandé :

– Où est la jeune fille qui prenait soin de moi? Je crois qu'elle s'appelait Rosie.

– C'est juste, Madame, mais elle ne se sent pas très bien ce soir, et l'Intendante m'a demandé de prendre sa place.

Shenda portait une charlotte semblable à celle de toute les servantes du château. Elle l'avait enfoncée sur son front de sorte que le ruché lui cachait presque entièrement les yeux, mais lady Gratton ne lui jeta même pas un coup d'œil avant de dire :

– C'est bon, j'espère que vous connaissez votre affaire. Je ne veux pas avoir à me répéter.

– Non, bien sûr que non, Madame. Je suis la couturière du château, et je peux faire des retouches aux robes de Votre Seigneurie si vous le désirez.

L'intérêt de lady Gratton s'éveilla aussitôt.

– J'allais justement épingler le jupon sous la robe que je mettrai ce soir, et qui est un peu grande. Si vous avez une aiguille et du fil, vous pouvez la coudre sur moi, mais n'oubliez pas qu'il vous faudra le défaire quand je me coucherai.

– Non, bien sûr que non, Madame. Demain, je déplacerai les boutons pour qu'elle vous aille parfaitement.

– C'est une bonne idée, dit lady Gratton, et j'ai aussi une autre robe à retoucher.

Avant de descendre elle sortit plusieurs robes que Shenda emporta jusqu'à son atelier de couture. Comme elle devait attendre le retour de lady Gratton pour l'aider à se dévêtir avant d'aller se coucher, elle prit aussi avec elle un des livres empruntés à la bibliothèque. Elle était si absorbée dans sa lecture qu'elle en perdit la notion du temps et il était une heure du matin lorsque lady Gratton rentra, visiblement pressée de se déshabiller. Après avoir passé une chemise de nuit plus vaporeuse que tout ce que Shenda avait pu voir ou même osé imaginer auparavant, elle dit sèchement :

– Ce sera tout! Vous pouvez partir maintenant. N'oubliez pas de me réveiller demain matin, mais pas avant dix heures!

– Très bien, Madame, murmura la jeune fille.

– N'oubliez pas non plus les vêtements que je vous ai donné à retoucher, ajouta-t-elle.

– Bien sûr que non, Madame.

Tandis qu'elle se hâtait vers sa chambre par les couloirs et les escaliers, Shenda se rendit compte qu'elle n'avait pas vu lady Gratton se mettre au lit. Elle devait sans doute avoir une bonne raison pour cela, mais la fatigue aidant, elle ne s'attarda pas davantage à cette pensée, ôta ses vêtements, se coucha et s'endormit aussitôt.

***

Le jour suivant la jeune fille dut aider lady Gratton à s'habiller et à se coiffer. Elle s'acquitta de cette dernière tâche avec tant de soin que la dame en fut enchantée, ainsi d'ailleurs que des retouches faites à ses robes. Plus tard pendant qu'elle se changeait pour le dîner, lady Gratton lui dit :

– Demain je rentre à Londres et j'ai l'intention de demander à Sa Seigneurie de vous garder à mon service jusqu'au complet rétablissement de ma femme de chambre. Je voudrais vous faire retoucher ou remettre à neuf une quantité de vêtements qui sont dans mes armoires.

Shenda retint sa respiration. Elle faillit répondre que c'était impossible avant de s'aviser qu'il lui fallait d'abord demander au comte la permission de refuser une telle proposition. Elle dit alors d'une voix hésitante :

– Si on m'autorise... à venir chez vous... Madame... je crains d'être obligée... d'emmener mon petit chien avec moi... il est très gentil... il ne me quitte jamais... et il aurait le cœur brisé... si je le laissais derrière moi.

– Un chien? s'exclama lady Gratton comme s'il s'agissait de quelque étrange animal inconnu d'elle. Bon, si vous me promettez qu'il se tiendra tranquille, et à condition qu'il ne vienne jamais dans les pièces de devant, je suppose que je n'ai plus qu'à m'en accommoder!

– Merci... beaucoup... Madame.

Dès que lady Gratton fut descendue déjeuner, elle griffonna en hâte un petit mot à l'intention du comte, une seule phrase qui disait en substance :

S'il vous plait, il faut que je voie Sa Seigneurie Shenda.

Elle descendit jusqu'à l'office par l'escalier de service et confia le message à Bates, préférant ne pas être vue dans ce que les domestiques appelaient « les pièces de devant ». Elle aurait été bien naïve de croire que sa robe de guingamp avait sur elle la même allure que sur les autres servantes du château. Et la charlotte qui faisait aussi partie de son uniforme paraissait souligner la forme de son menton, la taille de ses yeux immenses et le dessin très pur de son petit nez. Elle savait également que Bates, malgré la bizarrerie de sa requête, ne lui poserait pas de questions.

– J'attendrai que Sa Seigneurie soit seule pour le lui remettre, miss Shenda, dit-il.

Elle lui adressa un sourire et courut se réfugier dans sa chambre. Elle avait l'impression d'être en équilibre sur une corde raide, prête à tomber dans l'abîme à tout moment. Elle se reprocha plus tard de n'avoir pas prévu que le comte trouverait un moyen original de lui faire parvenir sa réponse. Quand Bates monta chez elle il tenait dans sa main un livre consacré à l'histoire du château.

– Sa Seigneurie dit, Mademoiselle, que ceci est le volume qui vous fait défaut. Elle espère que vous y trouverez la référence au village qui vous intéresse.

– Merci ! dit la jeune fille. C'est fort aimable à Sa Seigneurie de me prêter cet intéressant ouvrage.

Bates parti, elle ouvrit le livre dont elle dut feuilleter les pages une à une avant de découvrir ce qu'elle cherchait. C'était un minuscule morceau de papier sur lequel étaient écrits ces quelques mots :

Au temple Grec – à six heures.

Elle calcula qu'elle serait tout juste de retour de son entrevue avec le comte pour préparer le bain de lady Gratton et l'habiller pour le dîner. A six heures moins le quart, suivie de Rufus, elle sortit du château par la porte du jardin et se faufila prestement derrière les buissons jusqu'au delà du boulingrin. Là, non loin de la cascade, se trouvait un temple grec ramené jadis en Angleterre par le huitième comte d'Arrow. C'était un charmant édifice à colonnes ioniques derrière lesquelles se profilait une statue d'Aphrodite avec deux colombes, une sur l'épaule et une autre à la main. Le comte était déjà sur place attendant Shenda. En l'apercevant qui venait vers lui, sa silhouette pleine de grâce se détachant sur les bouquets de rhododendrons, il crut à la renaissance d'Aphrodite sortie de l'onde encore une fois pour troubler les humains.

Lorsqu'elle était de repos et pour faire plaisir à Mrs Davison, la jeune fille laissait de côté son uniforme de guingamp. Elle portait ce jour-là une nouvelle robe faite avec la mousseline brodée dont l'Intendante lui avait fait cadeau. Elle l'avait coupée elle-même, mais à la dernière mode comme les dames du château, avec la taille très haute et des rubans qui se croisaient sur la poitrine pour retomber en cascades dans le dos. Le soleil couchant avivait l'or de sa chevelure, et le comte la vit venir à lui dans une flambée de lumière éblouissante. De son côté Shenda le trouvait si beau et si élégant, appuyé à la colonnade, qu'elle en oublia de faire la révérence et qu'ils restèrent debout l'un devant l'autre à se regarder en silence. Le comte fit un effort pour dire enfin :

– Vous vouliez me voir?

– Je veux vous prier... de me dire... ce que je dois faire... monsieur le comte, répliqua Shenda, car Sa Seigneurie m'a demandé... de venir demain à Londres avec elle... pour lui servir de femme de chambre... jusqu'à ce que la sienne soit complètemetn remise... de son accident.

Le comte fronça le sourcil.

– Mais elle ne m'en a rien dit!

– Elle... le fera peut-être... ce soir.

Il détourna son regard en direction du château. Bien qu'il ne voulût pas l'admettre, il répugnait de tout son être à laisser une jeune fille aussi fraîche et aussi pure au contact de Lucille. Et pourtant que pouvait-il faire d'autre?

– Avez-vous découvert autre chose?

– Rien du tout, monsieur le comte.

Celui-ci soupira.

– Alors, Shenda, je crois que je vais vous demander de m'aider une fois de plus.

– V... vous voulez.. que j'aille à Londres?

– Je ne le veux certes pas, dit-il d'une voix dure, mais c'est notre seule chance de découvrir le responsable de la conduite criminelle d'une dame pourtant anglaise par le sang.

– Croyez-vous que cette personne puisse être assez imprudente pour s'aventurer... jusque dans la maison de Sa Seigneurie?

– Je ne connais pas la réponse à cette question, dit le comte. Shenda, il ne nous reste plus qu'à prier tous les deux pour que vous trouviez quelque indice susceptible de nous mener jusqu'à celui qui espionne pour le compte de Napoléon, sans doute un agent de Fouché, qui est bien l'homme le plus rusé et le plus dangereux qu'il y ait en France.

Il la regardait d'un air interrogateur, ne sachant si ce nom lui était ou non familier, mais elle répondit aussitôt :

– Je pense que vous faites allusion au ministre de la police ?

– Comment le savez-vous ? demanda le comte.

– Mon père m'a parlé de cet homme, répondit la jeune fille, et de sa méthode qui consiste à forcer nombre d'émigrés à travailler pour lui, en les menaçant de faire mettre à mort les membres de leur famille demeurés en France.

Le comte parut surpris de cette réponse. Il lui vint alors à l'esprit que cette exquise créature risquait bel et bien d'avoir maille à partir avec le redoutable personnage qui paradait jadis aux alentours de la guillotine avec une paire d'oreilles humaines accrochée à son chapeau. Puis il se dit qu'il avait trop d'imagination car jusqu'à nouvel avis le Pas-de-Calais séparait toujours Shenda du plus cruel des serviteurs de Napoléon.

– Ce que je vais vous demander, dit-il, c'est d'accompagner Sa Seigneurie à Londres, mais d'y rester le moins longtemps possible. Si elle essaie de vous garder alors que vous avez envie de partir, prétextez qu'on vous réclame au château pour revenir à la date prévue.

– Je... comprends, dit Shenda d'une toute petite voix.

– Mais si jamais vous croyez être en danger, se hâta de dire le comte, si vous sentez que quelqu'un se méfie de vous, ou si la situation devient intenable, souvenez-vous que ma maison de Berkeley Square est à quelques pas seulement de celle de lady Gratton.

Les yeux expressifs de la jeune fille témoignèrent d'un certain soulagement tandis qu'il ajoutait :

– Allez-y tout de suite, et si je ne suis pas là, dites à Mr Masters, mon secrétaire, de me joindre sans retard. Il sait toujours où je me trouve, et nous perdrons le moins de temps possible.

– Je... je comprends, dit Shenda, mais vous n'êtes pas... très rassurant !

Il fit un pas vers elle.

– Êtes-vous certaine de tenir le coup ? demanda-t-il. Si vous avez vraiment peur, je comprendrai, et vous pourrez rester ici au château, c'est promis.

Elle le regarda en relevant le menton d'un air décidé, et son sursaut d'orgueil lui plut.

– Si je puis contribuer à sauver la vie d'un seul marin, dit-elle, peu importe l'inconfort ou le danger, je suis prête à faire mon devoir !

– Merci, dit simplement le comte.

Il la regardait, une fois de plus ses yeux fixaient ses lèvres et elle sentit le rouge envahir ses joues.

– Il... il faut que je rentre, murmura-t-elle. Sa Seigneurie désire être réveillée à six heures et demie.

Elle n'attendit pas la réponse du comte, mais se détourna vivement et s'enfuit d'un pied léger. En la voyant s'éloigner, il fut pris du désir violent de courir après elle et de la saisir dans ses bras. Elle était trop belle pour s'exposer ainsi au danger, ou pour se mêler à la société déshonorante des espions étrangers, surtout quand il s'agissait de femmes assez corrompues pour vendre leur corps en échange des renseignements dont Bonaparte avait besoin.

Il se dit alors que le salut de l'Angleterre n'avait pas de prix, et qu'il était mieux placé que quiconque pour savoir que l'expédition secrète devait absolument arriver à bon port. Si Shenda ne l'avait pas innocemment alerté, il aurait bien pu, pensa-t-il, laisser échapper des paroles imprudentes. Il paraissait néanmoins inconcevable qu'en dépit des consignes et des avertissements de toutes sortes, deux habitants du calme village d'Arrowhead eussent trouvé moyen d'apprendre, non seulement que le corps expéditionnaire avait quitté l'Angleterre, mais encore que Nelson était en route pour la Jamaïque. Il décida que son premier soin en arrivant à Londres le lendemain serait d'aller voir lord Barham pour lui communiquer le peu qu'il avait appris.

***

Shenda, en charlotte et robe de guingamp, entra chez lady Gratton à six heures et demie précises. Celle-ci dormait encore, mais elle s'agita quand elle entendit la jeune fille et dit d'une voix pâteuse :

– Mon Dieu ! Il est déjà l'heure de se lever ? Je rêvais.

– A quoi donc, Madame ? demanda Shenda.

– Je rêvais que je pouvais m'offrir la plus belle sortie de bal du monde que j'ai vue l'autre jour dans Bond Street.

– Elle était donc si belle ? s'enquit la jeune fille.

– Elle était en hermine doublée de soie exactement assortie à la couleur de mes yeux !

– Elle vous irait sans doute à ravir, Madame.

– Il en coûtera peut-être cinq cents livres, dit lady Gratton d'un ton rêveur, mais j'ai décidé qu'elle serait à moi !

Shenda retint son souffle. Elle se demandait comment il se pouvait qu'une femme, d'où qu'elle vînt, d'Angleterre ou d'ailleurs, fût capable de sacrifier des vies humaines pour le plaisir de draper ses blanches épaules dans une cape de fourrure.

« C'était une femme méchante... malfaisante ! » se dit-elle. Elle ne parvenait pas à comprendre comment le comte avait bien pu s'amouracher d'une personne aussi méprisable. Il était lui-même si fort, si brave, en un mot tout ce qu'un Anglais devrait être, et de plus il semblait bien connaître la nature humaine. Mais voilà, son jugement se trouvait altéré en face d'une femme certes très belle, mais qui cachait sous des apparences séduisantes une âme aussi noire que celle du prince des espions Joseph Fouché lui-même. Comment le comte ne voyait-il pas dans ses yeux langoureux qu'elle incarnait le mal? Elle était capable de s'intéresser à lui en tant qu'homme, et pour une cape d'hermine elle n'hésitait pas à faire massacrer ceux qui avaient servi sous ses ordres.

« Je la déteste! je la déteste! » se répétait-elle sans arrêt, en aidant lady Gratton à passer une robe de mousseline diamantée qui avait manifestement dû coûter les yeux de la tête.

« Pour cette robe-là combien de morts? » se demanda Shenda.

Elle finit d'arranger la coiffure de lady Gratton et lui mit un collier somptueux autour du cou. Sa Seigneurie se contempla dans le miroir d'un air comblé en disant :

– Ce soir les autres femmes auront envie de m'arracher les yeux! Comment Sa Seigneurie pourrait-elle leur faire la grâce d'un seul regard quand il lui suffit de poser les yeux sur moi?

Elle parlait surtout pour elle-même, mais en entendant ces mots prononcés sur un ton d'âpre satisfaction, Shenda sentit son cœur se serrer. C'était peut-être une mauvaise femme, une criminelle, mais Dieu qu'elle était belle !

Elle imagina le comte embrassant lady Gratton et se rappela les sensations provoquées par le contact de ses lèvres. Alors, comme un coup de poignard en plein cœur elle eut la révélation de son amour pour lui.

***

Le lendemain matin le château était en émoi car tout le monde, y compris le maître de maison, devait repartir pour Londres après avoir déjeuné de bonne heure. Il fallait descendre une grande quantité de malles pour les charger dans le fourgon attelé de six chevaux qui transporterait aussi les valets et les femmes de chambre des invités. Shenda ne les accompagnait pas, Mrs Davison ayant intelligemment prévu de l'emmener en voiture légère avec elle.

– Il faut que j'achète de la toile pour le château, avait-elle déclaré d'un ton sans réplique. C'est moi qui la choisirai et personne d'autre, car feu madame la comtesse prenait toujours la meilleure qualité, et je sais l'endroit où la trouver.

Elle souriait en disant ces mots et Shenda lui exprima sa reconnaissance :

– Merci, merci ! je sais que vous faites cela pour moi.

– Je me réjouis de ce voyage, répondit Mrs Davison toujours aussi décidée. Si Sa Seigneurie me demande pourquoi j'ai fait cela, je lui expliquerai et elle sera bien obligée de me donner raison.

Il vint à l'esprit de la jeune fille que le comte avait pu imaginer lui-même cette sorte d'arrangement. Puis elle se dit qu'il ne voyait sans doute en elle qu'une petite couturière aimant probablement la compagnie des autres serviteurs qui se bousculaient joyeusement au moment de grimper dans le fourgon. Ils mettraient un peu plus de deux heures pour atteindre Londres. Les chevaux les plus rapides avaient été attelés aux voitures légères, et lady Gratton avait quitté le château avant les autres en compagnie du comte, dans son phaéton tiré par deux alezans superbes. Shenda les regarda partir le cœur un peu serré. lady Gratton était toujours aussi belle avec son chapeau haut-de-forme garni de plumes d'autruche. Au moment de quitter sa chambre une fois habillée, elle s'était tournée vers la jeune fille pour lui dire :

– Je me suis beaucoup amusée au château, et je sais que je reviendrai souvent. N'oubliez pas d'apporter les robes à retoucher.

– Je ferai de mon mieux, Madame, répondit calmement Shenda.

– Une fois à Londres ce n'est pas l'ouvrage qui manquera. Vous comprenez bien que je dois tout faire pour plaire à un gentleman aussi difficile que Sa Seigneurie.

Elle jeta un coup d'œil au miroir avant d'achever, comme pour elle-même :

– C'est un homme vraiment très séduisant!

Shenda serra les poings à s'en faire blanchir les jointures.

« Qu'a-t-il... dit? Qu'a-t-il... fait pour émouvoir à ce point lady Gratton? » se demanda-t-elle. Jouait-il simplement son rôle ou était-il réellement amoureux?

Elle se reprocha aussitôt de douter de sa loyauté à l'égard de l'Angleterre, et cependant, en les regardant s'éloigner, elle dut reconnaître que si l'on s'en tenait à la beauté physique il était rare de voir deux êtres aussi parfaitement assortis. Perry les suivait dans un autre phaéton, tandis que le reste de la compagnie s'entassait dans ses propres carrosses ou dans des voitures découvertes appartenant au château. Chemin faisant le comte ne pensait plus à ses hôtes ni à Lucille, pourtant assise près de lui. Il songeait à l'entretien qu'il aurait bientôt avec lord Barham et aux soupçons que le jeune Baronnet qui travaillait présentement à l'Amirauté avait fait naître dans son esprit la veille au soir. Comme c'était un ami de Perry, le comte ne lui avait pas accordé une attention particulière jusqu'au moment où une remarque de lord Braham lui était revenue en mémoire. Celui-ci avait dit en effet que, même si cela semblait incroyable, les fuites venaient de ses propres bureaux. Il s'était donc arrangé pour s'entretenir avec sir David Jackson en particulier.

– Aimez-vous travailler avec lord Barham ? lui demanda-t-il à brûle-pourpoint. C'est un homme que j'ai toujours profondément admiré.

– Je ne l'ai pratiquement pas vu depuis qu'il a repris les fonctions de lord Melville, répliqua sir David.

– Alors vous ne travaillez pas directement sous ses ordres, dit le comte.

– Non en effet, je travaille avec le deuxième secrétaire, répliqua sir David. Aussi curieux que cela puisse paraître, c'est un Français !

L'attention du comte s'éveilla soudain mais il n'en laissa rien voir.

– Un Français ? répéta-t-il d'un ton blasé comme si le fait n'avait rien de marquant.

– Oh, il n'y a pas lieu de le soupçonner de quoi que ce soit, dit sir David. Le comte Jacques de Beauvais est le fils d'un émigré de grande noblesse qui fut jadis ambassadeur de Louis XV.

– En vérité ! s'exclama le comte.

– Il vint ici au début de la Révolution pour être élevé en Angleterre. Il était à l'école à Eton.

Le comte se mit à rire.

– Voilà certes une belle recommandation !

– Il professe une haine fanatique de Napoléon, poursuivit sir David, à cause de sa grand-mère traînée à la guillotine malgré son grand âge et du château de ses ancêtres incendié et pillé par les sans-culottes.

– Dans ce cas, il n'a vraiment aucune raison d'aimer les Français! remarqua le comte.

– Aucune en effet, répliqua sir David. Chaque jour il lève son verre à la chute prochaine du tyran, et il nous offre à boire dès qu'on annonce la perte d'un navire français.

Il lança un regard admiratif au comte en ajoutant :

– Cela faillit tourner à la beuverie quand nous apprîmes que vous aviez coulé deux vaisseaux de haut bord dans le port de Toulon!

– J'ai eu beaucoup de chance, dit le comte. Le vent a tourné juste au bon moment, sans quoi je ne serais sans doute pas là aujourd'hui!

– Mon plus cher désir, conclut sir David, est de rejoindre au plus tôt mon régiment. Ma jambe va beaucoup mieux, mais les médecins attendent encore six mois avant de me déclarer à nouveau bon pour le service!

– Eh bien, je suis certain qu'entre-temps vous ferez de l'excellent travail, déclara le comte.

Il se dit aussi qu'il aimerait en savoir un peu plus sur le comte Jacques de Beauvais. Il était fort possible que ce dernier souhaitât de tout cœur la victoire de l'Angleterre ainsi que l'avait indiqué sir David. On ne pouvait être sûr de rien toutefois, et depuis qu'il connaissait la trahison de Lucille il était bien décidé à ne plus se fier à personne.

Puis il prit conscience du danger qu'il y aurait à laisser la chasse aux espions l'obséder au point de lui faire perdre sa lucidité. Il ne voulait pas ressembler à ces fanatiques qu'il avait déjà rencontrés et qui lui avaient toujours paru légèrement déséquilibrés.

Il menait ses chevaux grand train. En dépit des roucoulements de Lucille Gratton qui l'abreuvait de compliments tout en le serrant d'un peu trop près, c'est Shenda qui occupait sa pensée. Il se demandait s'il n'avait pas pris un risque terrible en lui permettant d'aller à Londres.

CHAPITRE VI

la voiture légère déposa Mrs Davison devant la demeure des Arrow sur Berkeley Square. Shenda fut impressionnée par la majesté du lieu et en particulier par les lanternes dans leurs cadres de laiton fixés aux rampes dorées du perron. Elle mourait d'envie de jeter un coup d'œil à l'intérieur, mais, à peine descendue, l'Intendante ordonna au cocher de la conduire chez lady Gratton. Cette dernière habitait une petite maison nichée entre deux autres beaucoup plus grandes dans une des rues donnant sur Berkeley Square. La grande salle à manger ainsi que le petit salon qui composaient le rez-de-chaussée étaient joliment meublés. Au-dessus du grand salon du premier étage se trouvait la chambre de lady Gratton qui donnait sur le jardin pour la tranquillité de la maîtresse de maison. Shenda craignait d'être logée sous les combles et fut soulagée d'apprendre que les trois mansardes étaient occupées par les deux servantes et la femme de chambre, toujours immobilisée au fond de son lit avec une jambe cassée. On lui donna provisoirement, face à celle de Sa Seigneurie, une petite chambre contiguë au cabinet utilisé par sir Henry quand il dormait chez lui. La chambre de la jeune fille était minuscule et encombrée de surcroît par une penderie qui occupait tout un mur. Lorsqu'elle entra dans la pièce une bonne douzaine de chapeaux s'étalaient sur le lit. Avec l'aide d'une servante, elle les mit dans des cartons qui furent entassés sur le sommet de l'armoire, mais, même après ces rangements, Shenda avait à peine la place de se retourner. Au moins, se dit-elle, elle avait une chambre pour elle toute seule, au lieu de devoir partager celle de la malade ou d'une autre servante, comme elle l'avait d'abord redouté. Elle était en train de défaire les malles de lady Gratton et de suspendre ses robes dans l'armoire quand Sa Seignerie fit son apparition. Elle était extrêmement belle, néanmoins Shenda ne put s'empêcher de frissonner à son approche.

– Dès que vous en aurez fini avec les bagages, dit-elle d'une voix impérieuse, je vous montrerai les robes qui ont besoin de retouches, et j'entends que ce soit fait le plus vite possible!

La jeune fille eut envie de répondre qu'elle aurait du mal à faire ce travail dans un réduit aussi encombré, mais elle s'avisa que pour avoir une chance de découvrir des secrets importants il était sans doute préférable de ne pas s'éloigner de la chambre de Sa Seigneurie. Elle vida donc en silence la dernière malle qui fut emportée par un domestique et gagna sa propre chambre pour y attendre les ordres de sa maîtresse. Après avoir examiné le monceau de vêtements qui attendait ses bons offices elle n'eut aucun mal à expliquer aux caméristes qu'en raison du travail énorme qui lui incombait elle prendrait ses repas chez elle. Elle savait que ces dernières seraient furieuses d'avoir à monter des plateaux jusqu'au dernier étage, et de plus, elle voyait bien que, contrairement aux serviteurs du château d'Arrow, elles n'avaient guère d'attachement pour leur patronne et qu'elles n'appartenaient pas à la fine fleur des employées de maison. Comme elle pouvait s'y attendre, le souper qu'on lui servit était peu appétissant et complètement froid, mais elle se dit que venir en aide au comte valait bien quelques sacrifices et cette pensée lui fit oublier le goût des quelques bouchées qu'elle avalait distraitement.

« Je dois absolument lui être utile... il le faut! » pensait-elle.

Quand lady Gratton monta se coucher, Shenda fit un effort pour être aimable tout en l'aidant à se déshabiller. Elle avait appris que les deux vieux messieurs présents au dîner étaient des parents de retour à Londres depuis peu. Ils lui parurent bien inoffensifs et c'est d'un œil distrait qu'elle les vit par-dessus la rampe gravir lentement l'escalier pour se rendre au salon.

De fait, la jeune fille se sentait brisée de fatigue au moment où lady Gratton monta dans sa chambre. La journée avait été longue et sans doute à cause du danger qu'elle courait, les murs de la petite maison l'oppressaient comme les murailles infranchissables d'une prison. Elle se reprocha son excès d'imagination et ce fut un soulagement de prendre Rufus dans ses bras pour éprouver le réconfort de la tendresse du petit chien. Elle l'avait fait sortir dans la rue pendant que lady Gratton dînait en compagnie de ses vieux cousins. Elle mourait d'envie de tourner le coin de Berkeley Square pour jeter encore un coup d'œil à la résidence des Arrow. Elle y renonça finalement car si par malchance le comte l'apercevait à ce moment il la trouverait sûrement trop curieuse ou pis encore lui reprochait de négliger les devoir de sa mission. Tout en caressant Rufus elle chuchota dans un souffle :

– J'espère que nous ne resterons pas longtemps ici. Je sais qu'il te tarde de revenir au château... et... à moi aussi!

Elle se surprit alors à penser au comte qu'elle avait trouvé si beau la veille, tandis qu'il l'attendait devant le temple grec, pareil à quelque dieu, Apollon peut-être, dispensant la lumière du jour aux humains plongés dans les ténèbres. Elle se souvint aussi de son baiser pour se dire qu'il ne lui en donnerait jamais d'autres. Ce serait son seul souvenir lorsqu'il n'aurait plus besoin d'elle.

« Si j'avais un peu de bon sens, je quitterais le château et le village pour aller chercher fortune ailleurs », se dit-elle.

Mais en dehors de la maison de son oncle elle ne savait où aller. Il ne lui restait donc plus qu'à se cramponner à son emploi de couturière jusqu'à ce que la situation devînt vraiment intenable.

Quand elle eut aidé lady Gratton à se déshabiller Shenda crut que celle-ci allait se mettre au lit, vêtue d'une de ses chemises de nuit transparentes. Mais à l'étonnement de la jeune fille elle lui dit :

– Allez me chercher mon peignoir de satin bleu bordé de dentelle qui est accroché dans la penderie.

Shenda s'exécuta. C'était un vêtement de très belle qualité qui avait dû coûter fort cher et elle se demanda pourquoi Sa Seigneurie l'avait réclamé à un moment où elle n'attendait plus de visiteur. Ses pensées furent interrompues par la voix de lady Gratton qui disait :

– Vous pouvez aller vous coucher, je n'aurai plus besoin de vous. Vous me réveillerez à dix heures comme d'habitude et j'espère que vous serez levée assez tôt pour commencer à retoucher mes robes. Nous ferons les essayages plus tard dans la matinée.

– Ce sera fait, Madame, promit Shenda.

Elle jeta un coup d'œil dans la chambre pour s'assurer que tout était en ordre et sortit en fermant la porte derrière elle. Rufus l'attendait dans sa chambrette et bondit d'allégresse à son apparition. Elle le déposa sur le lit, ôta ses vêtements et se glissa dans la jolie chemise de nuit que sa mère avait confectionnée pour elle. Pardessus la chemise de nuit elle enfila un peignoir de laine fine dépourvu d'ornements à l'exception de boutons de perles et d'un étroit galon de dentelle autour de l'encolure. Elle portait depuis plusieurs années cette robe d'intérieur qui lui donnait l'air d'une petite fille mais qui était chaude et confortable pour lire le soir avant de s'endormir. Elle venait juste de disposer la chandelle de manière à éclairer convenablement sa lecture lorsqu'elle entendit la porte de la chambre de lady Gratton s'ouvrir. Elle crut d'abord que Sa Seigneurie venait lui demander quelque chose, auquel cas elle n'approuverait certainement pas la présence de Rufus sur son lit. Elle s'avançait pour le prendre avec l'intention de le déposer sur le sol quand elle entendit lady Gratton passer sans s'arrêter devant sa porte et s'engager dans les escaliers.

« Que peut-elle bien vouloir ? » se demanda-t-elle.

Il lui paraissait étonnant que Sa Seigneurie, qui se faisait toujours servir, ne vînt pas lui demander d'aller cherher ce dont elle avait besoin. Puis elle se dit qu'après tout, elle avait de la chance de n'avoir pas pour le moment à obéir aux ordres d'une femme méprisable et quelle détestait. Elle savait que son père, comme sa mère, eussent été profondément choqués de la voir fréquenter une personne aussi peu recommandable, comme de la savoir à Londres réduite à la condition d'une servante. Elle pensa tout de même que son père eût compris son désir de contribuer, si peu que ce fût, à la défaite de Napoléon qui tenait en ce moment la presque totalité de l'Europe sous sa botte. Il était affreux de penser qu'il ne restait plus que la marine britannique pour s'opposer au triomphe d'un tyran dont la cruauté avait horrifié toute l'Angleterre.

« Mon Dieu... je vous en prie... donnez-nous la victoire! » murmura Shenda d'une voix fervente.

C'est alors qu'elle entendit le bruit d'une voiture qui s'arrêtait devant la maison. Comme c'était plutôt étrange à une heure aussi tardive, elle bondit au bas de son lit et courut à la fenêtre dont elle écarta prudemment les rideaux. Elle aperçut le toit d'une berline dont le cocher retenait les chevaux et dont un valet de pied ouvrait la porte. Un homme en descendit. La jeune fille le prit d'abord pour sir Henry Gratton rentrant chez lui à l'improviste. Elle se rappela à cet instant que lady Gratton venait de descendre l'escalier, et que, bien qu'elle fût en toilette de nuit, elle attendait peut-être l'homme qui venait d'arriver. Shenda laissa tomber le rideau, s'écarta de la fenêtre et souffla la chandelle qui se trouvait près du lit. Elle glissa ses pieds dans les pantoufles de velours assorties à son peignoir et tourna silencieusement la poignée de la porte de sa chambre. Elle était si émue que les battements de son cœur redoublèrent quand elle vit que la porte de lady Gratton était restée entr'ouverte, ce qui signifiait que cette dernière n'était pas encore remontée chez elle. Longeant les murs pour n'être pas vue d'en bas, Shenda marcha très lentement jusqu'à la rampe en haut de l'escalier et tendit l'oreille. Elle entendit alors un grattement à la porte d'entrée, si faible qu'il était certainement inaudible pour le serviteur qui dormait au sous-sol. Puis elle se rendit compte que quelqu'un, qui ne pouvait être que lady Gratton, descendait du salon dans le vestibule. Il y eut alors le bruit d'une clé tournant dans la serrure, et un éclair de lumière au moment où la porte s'ouvrait. Des pas se firent entendre et se rapprochèrent peu à peu. lady Gratton dit alors d'une voix étouffée :

– Je croyais que vous m'aviez oubliée!

– Il faut me pardonner, *ma chérie*, répondit la voix d'homme. Il y a eu crise imprévue à l'Amirauté, de sorte que je n'ai pu m'échapper qu'à l'instant.

– Vous êtes ici, c'est tout ce qui compte!

répondit la jeune femme. Venez, allons dans le salon.

Shenda les entendit gravir l'escalier et sut qu'elle devait écouter ce qui se disait quand la porte du salon se referma sur eux. L'homme s'était exprimé en anglais mais le terme d'affection en français ne lui avait pas échappé et elle fut dès lors certaine que ce personnage et l'espion que le comte recherchait ne faisaient qu'un. Se déplaçant lentement et sans faire de bruit sur l'épais tapis elle atteignit la porte du salon et se tint debout derrière celle-ci, l'oreille aux aguets. La porte n'était pas faite d'acajou massif comme celles du château de sorte qu'elle put entendre le rire de lady Gratton suivi de cette phrase, visiblement en réponse à une question de son visiteur :

– Oui, ce fut un merveilleux séjour, et comme je vous l'ai dit, le comte est absolument fou de moi !

– Alors, continuez à le tenir en votre pouvoir ! dit l'homme d'une voix profonde.

– Servez-vous un peu de champagne, proposa lady Gratton, et puis nous pourrons causer.

– Laissez-moi vous dire d'abord à quel point je vous trouve belle et follement désirable ! *Ma petite, vous m'avez manqué* !

Shenda pensa que le visiteur mettait à profit le silence qui suivit pour enlacer amoureusement lady Gratton et la couvrir de baisers. Puis sa voix grave se fit entendre de nouveau :

– J'ai besoin d'un verre! *Mon Dieu,* il paraît que les Français sont bavards, mais que dire alors des amiraux et des politiciens? Il n'y a pas moyen de les arrêter!

La jeune femme éclata de rire, et Shenda pensa que le visiteur se dirigeait du côté de la table où se trouvaient les liqueurs car on entendit le bruit des verres entrechoqués puis celui des pas de l'homme revenant porter à sa maîtresse une coupe de vin pétillant :

– *Ma chérie,* je bois à vos beaux yeux, à vos lèvres irrésistibles, et à votre corps ravissant autant que désirable!

lady Gratton rit de nouveau.

– Comme toujours, Jacques, vos compliments sont remplis de poésie.

– Comment pourrait-il en être autrement lorsqu'il s'agit de vous? répliqua-t-il.

Shenda eut l'impression qu'ils buvaient enfin leur champagne. Au bout d'un moment l'homme qui répondait au prénom de Jacques dit d'une voix où perçait une certaine impatience :

– Avez-vous des nouvelles pour moi? Et parlez français, s'il vous plaît, c'est plus sûr!

lady Gratton se remit à rire.

– Nous sommes en sécurité ici. De plus vous vous moquez toujours de mon accent!

– Seulement parce que j'adore vous entendre massacrer le français, comme j'adore tout en vous! répliqua-t-il. Et maintenant, quelles sont les nouvelles?

Au bout d'un instant la jeune femme dit dans un français déplorable et avec un accent anglais prononcé :

– Le comte n'a aucune certitude, mais j'ai idée qu'il croit que l'expédition secrète fait route vers les Antilles.

Jacques fit entendre une exclamation de satisfaction.

– C'est exactement ce que pense Bonaparte. Il sera enchanté d'apprendre que son hypothèse était la bonne, comme d'habitude!

Il respira profondément avant de poursuivre :

– Il y a deux jours un de mes amis m'a dit que l'empereur avait l'intention d'effrayer Downing Street au point de les amener à disperser leurs maigres forces terrestres. Maintenant il saura qu'il a réussi!

Shenda remarqua avec surprise que Jacques parlait plus pour lui-même que pour la femme qui était à ses côtés. lady Gratton dit à ce moment d'une voix câline :

– Je suis heureuse que ces nouvelles vous plaisent, Jacques.

– Je suis ravi! répliqua-t-il.

– Et j'aurai... ma récompense?

Il y avait de l'avidité dans sa voix devenue soudain plus dure.

– Mais oui, bien entendu, répondit Jacques. Comme je sais que vous ne me faites jamais faux bond, j'ai même apporté la somme promise.

– Cinq cents livres? demanda-t-elle au comble de l'excitation.

– Exactement. Les voici.

Il y eut un silence suivi d'un léger bruit, comme si Jacques sortait un objet de sa poche.

– Oh, Jacques, c'est merveilleux! s'écria lady Gratton. Je voulais justement m'offrir quelque chose de très spécial! Merci, vous êtes un excellent ami, toujours plein d'attentions pour moi.

Elle s'exprimait à nouveau en anglais, mais Jacques reprit en français :

– Et quoi de neuf en ce qui concerne Nelson?

La réponse de lady Gratton fut comme la première fois précédée d'un silence :

– Hélas, je n'ai rien pu obtenir de Sa Seigneurie au sujet de l'Amiral. Très franchement, je crois qu'il ignore l'endroit où il se trouve à présent.

– Êtes-vous sûre que vos questions n'ont pas éveillé ses soupçons?

La voix du Français était soudain devenue âpre et menaçante.

– Oh ça, tout à fait sûre! répliqua vivement la jeune femme. Comment supposerait-il un instant que je puisse avoir une arrière-pensée en demandant ce que devient notre plus illustre marin?

– Il est vrai que tout le monde parle de lui, dit Jacques d'un air pensif.

– Naturellement, mais pour moi tous les héros

sont ennuyeux, surtout celui-ci, qui est retenu au loin depuis si longtemps que j'ai oublié jusqu'à son visage!

Jacques se mit à rire.

– Je vous demande néanmoins d'essayer encore, dit-il. Il est extrêmement important pour les Français de savoir exactement où l'homme se trouve. Il nous a déjà causé bien assez d'ennuis en apparaissant brusquement là où on l'attendait le moins!

– Je ferai mon possible pour le découvrir, promit lady Gratton. J'essaie toujours de vous donner satisfaction, Jacques, vous le savez bien.

– J'aurai d'autres questions importantes à la fin de la semaine, reprit Jacques. Toutes vos informations seront largement récompensées.

– Vous êtes si généreux, répondit-elle avec effusion.

Shenda ne perdait pas un mot de cette conversation quand elle entendit derrière elle un léger bruit. C'était Rufus qui l'avait suivie depuis sa chambre et que la poussière venait sans doute de faire éternuer. Avant qu'elle pût esquisser un mouvement, la porte du salon s'ouvrit toute grande et un homme lui fit face.

– Qui êtes-vous? Que faites-vous ici? lui demanda-t-il. Sa voix dans l'obscurité parut faire un bruit terrifiant. En une seconde, la vision de cet individu menaçant effaça de son esprit toutes ses pensées. Elle se dit qu'il n'hésiterait pas à l'attaquer physiquement s'il était convaincu qu'elle ne se trouvait pas là par hasard. Son cœur semblait avoir cessé de battre et elle ne trouvait plus sa respiration. C'est alors qu'elle comprit que si cet homme se persuadait qu'elle l'espionnait il pourrait aussi soupçonner le comte, et d'un coup, comme si son père lui soufflait sa réplique, elle sut ce qu'il fallait dire.

– Je... je suis désolée... de vous déranger, Monsieur, dit-elle d'une voix enfantine, les mots sortant de ses lèvres par à-coups, mais... mon petit chien... a demandé... à sortir... et je l'emmène... faire un tour dans la rue.

Pendant une seconde qui lui parut interminable, elle eut le sentiment que le Français ne la croyait pas, car il fit un pas un avant. Puis il s'arrêta en apercevant Rufus tandis que lady Gratton disait derrière lui :

– Tout va bien, ce n'est que ma femme de chambre.

Comme s'éveillant d'un cauchemar, Shenda fit une petite révérence et s'engagea dans l'escalier en s'agrippant à la rampe. Elle avait à peine fait quelques pas qu'elle se rendit compte que Jacques était retourné dans le salon en disant à voix basse et en français :

– *Il faut la tuer!*

Elle ne réalisa le sens de ces paroles qu'en mettant la main sur la poignée de la porte d'entrée. Il avait décidé de la supprimer! La phrase s'inscrivait devant elle en lettres de feu. Elle resta un momment immobile, comme pétrifiée d'horreur, mais finit par ouvrir la porte, Rufus se précipita au-dehors et elle le suivit. Les domestiques assis sur le siège de la berline la regardèrent passer, les yeux ronds. Elle avait presque l'air d'obéir à des instructions précises, marchant sans hâte et d'un pas régulier, mais s'efforçant en réalité de ne pas céder à la terrible panique qui l'envahissait tout entière.

– *Il faut la tuer!*

Elle aurait dû s'y attendre de la part d'un espion de Napoléon, qui ne voulait sûrement pas prendre le risque d'être lui-même découvert. Les quelques secondes qu'elle mit à parvenir au coin de la rue lui parurent un siècle, mais elle déboucha enfin sur Berkeley Square, et dès que la berline fut hors de vue se mit à courir comme elle n'avait jamais couru de sa vie, coupant droit à travers la place vers la maison du comte, dont par bonheur la lanterne éclairait encore le seuil. Elle fut à nouveau saisie de terreur à la pensée qu'elle avait peut-être été suivie, et qu'alors le valet de pied assis sur le siège de la voiture saurait où elle était allée. Elle se retourna, mais à son grand soulagement il n'y avait pas âme qui vive sous le clair de lune. Elle escalada les marches du perron et heurta l'huis à coups redoublés mais pas trop fort, de peur, au milieu de la nuit, d'attirer l'attention du cocher de la berline ou de l'homme qui était avec lady Gratton. La porte ne s'ouvrit qu'au bout d'un long moment. Puis le portier de nuit passa la tête au-dehors avec le regard embrumé de quelqu'un que l'on tire brusquement d'un mauvais sommeil alors qu'il se tenait sur la chaise capitonnée prévue à cet usage dans le vestibule. Shenda le dévisagea, soulagée de voir la figure familière d'un garçon du château qu'elle connaissait depuis des années.

– Sa... Seigneurie... est-elle... chez elle... James? demanda-t-elle d'une voix essoufflée.

Elle entra tout en parlant pour venir près de lui, et il la reconnut.

– Oh, c'est vous miss Shenda! dit-il, étonné. Sa Seigneurie est là-dedans!

Il désigna du pouce une porte à l'autre bout du vestibule.

– J'vais lui dire qu'vous êtes ici, dit-il, mais d'abord faut que j'ferme la porte.

Shenda n'attendit pas, courut jusqu'à la porte de ce qui était, elle l'apprit ensuite, le bureau du comte, l'ouvrit sans frapper et entra. Il se tenait debout devant la fenêtre qui donnait sur un petit jardin derrière la maison. Il se retourna, l'air surpris. La jeune fille avait si peur qu'elle ne vit en lui que son sauveur, se précipita sans réfléchir à travers la pièce et se jeta sur sa poitrine.

– Je... j'ai t... trouvé... votre espion! hoqueta-t-elle, et... il va... me t... tuer!

La phrase était presque incohérente. Mais seule comptait la présence rassurante de celui qui allait la sauver!

Elle enfouit son visage dans le creux de son épaule. Sentant alors son corps trembler de la tête aux pieds il l'entoura de ses bras.

– Tout va bien, dit-il tranquillement. Il ne vous fera aucun mal.

– I... il... a... d... dit, fit Shenda dans un souffle, *il faut la tuer!*

Elle put à peine articuler ces mots, et pourtant il fallait le convaincre du danger car les espions de Napoléon étaient animés d'une haine implacable.

– Il... pourrait... vous... tuer... aussi, chuchota-t-elle.

Alors, devant cette perspective terrifiante et craignant pour la vie du comte autant que pour la sienne, elle éclata en sanglots. Il la serra plus fort, conscient d'éprouver pour Shenda des sentiments jusqu'alors inconnus. Il voulait la protéger, prendre soin d'elle, et surtout la préserver du contact déplaisant de la perfide Lucille, de la cruauté des séides de Napoléon et de la société londonienne où il n'y avait pas de place pour l'innocence et la pureté.

C'est à ce moment, tandis que la jeune fille sans défense pleurait désespérément contre lui, qu'il s'avoua qu'il l'aimait éperdument et définitivement.

Lucille Gratton se versa une autre coupe de champagne. Elle ne pouvait ignorer la mine renfrognée de son visiteur qui était resté debout près de la porte du salon.

– Cessez donc de vous tracasser, Jacques, dit-elle. J'ai ramené cette fille de la campagne parce qu'elle est couturière. Elle est jeune, elle est sotte et sûrement inoffensive.

– Vous m'aviez dit que nous serions seuls et que personne ne pourrait nous entendre! dit Jacques d'un ton accusateur.

– Comment pouvais-je prévoir que cette misérable petite idiote allait faire sortir son chien à cette heure de la nuit? demanda lady Gratton.

– Elle est dangereuse! dit-il. Demain matin je vous ferai tenir des comprimés qu'il vous faudra mettre dans ses aliments ou dans sa boisson.

– Vous voulez réellement la tuer?

– Je veux l'éliminer, le terme est mieux choisi.

– Oh, vraiment, Jacques, protesta lady Gratton, je ne puis supporter d'avoir ma maison pleine de cadavres! Vous savez très bien que si les gens l'apprennent ils parleront. Elle vient du château, qui plus est.

– Même les gens qui viennent du château sont mortels, répliqua Jacques d'un ton sarcastique. Vous aurez ainsi l'occasion de témoigner votre sympathie au comte, et de lui dire combien vous êtes désolée de ce qui est arrivé à un membre de son personnel.

– Oh, vraiment! dit la jeune femme avec irritation. A quoi bon se soucier des domestiques quand nous sommes ici ensemble?

Elle posa son verre et lui mit les bras autour du cou.

– Très cher Jacques, dit-elle, c'est quand vous me faites l'amour que je vous aime le mieux.

Il refusa d'abord de répondre à ses avances, mais finit par dire d'une voix adoucie :

– C'est cela que vous voulez?

– Comment pourrais-je réellement désirer autre chose de vous?

Elle lui tendit ses lèvres, sachant que ses baisers avaient le pouvoir d'éveiller sa sensualité.

– Montons, proposa-t-elle. Cette fille exaspérante doit être revenue maintenant.

Elle se dirigea vers la porte tandis que Jacques remplissait à nouveau sa coupe de champagne, et vit que la porte d'entrée était toujours ouverte.

– Elle n'est pas encore rentrée, chuchota-t-elle. Tant mieux, c'est encore plus facile. Montez à ma suite et fermez la porte derrière vous.

Il s'exécuta, non sans jeter un regard pensif sur la porte entrebaîllée.

– Jacques!

Son nom prononcé d'une voix basse et cependant pleine d'impatience eut un effet irrésistible. En proie à une profonde excitation, il gravit les marches deux à deux et pénétra dans la chambre à coucher de sa maîtresse.

*
* *

Le comte avait conduit Shenda jusqu'au sofa qui se trouvait près de la cheminée. Elle secoua la tête quand il lui offrit un grog mais il insista gentiment :

– Buvez-en donc un peu. Cela vous fera du bien.

Le brandy pourtant largement étendu d'eau lui brûla la gorge et la fit frissonner, mais l'état de faiblesse qui avait provoqué la crise de larmes disparut. Il lui tendit son mouchoir quand elle voulut s'essuyer les yeux d'un revers de main. Ce geste lui rappela la manière dont il avait bandé la patte de Rufus dans le bois, et pour la première fois depuis qu'elle avait traversé Berkely Square pour gagner la maison des Arrow, elle chercha des yeux le petit chien. Celui-ci était roulé en boule à ses pieds, ce qui lui fit pousser un cri de soulagement.

– Rufus... m'a... sauvée! dit-elle au comte.

Il mit un bras autour de ses épaules.

– Et maintenant dites-moi ce qui s'est passé depuis le début.

Elle effaça les dernières traces de ses pleurs avant de commencer :

– Je ... Je suis... désolée.

– Il n'y a vraiment pas de quoi, répliqua-t-il. Vous avez fait preuve d'un courage incroyable, mais il est temps de réfléchir et de prendre des décisions. Maintenant dites-moi tout ce que vous avez entendu.

Avec un peu d'hésitation, mais rassurée par la présence du bras du comte autour de ses épaules, elle lui fit le récit exact et détaillé de tous les événements survenus depuis son arrivée chez lady Gratton. Quand elle fut sur le point de lui dire que la jeune femme avait fait part à Jacques de ce qu'elle avait appris au sujet de l'expédition secrète, elle eut un regard angoissé comme si elle était incapable de continuer.

– Qu'a-t-elle dit? demanda doucement le comte.

– Elle a dit... que vous lui aviez confié... que l'expédition secrète... était partie... pour... les Antilles.

Elle détourna la tête en disant ces mots, mais lui fit bientôt face de nouveau pour demander d'un air affolé :

– V... vous n'avez... pas pu... vous ne les... avez pas...trahis?

– M'en croyez-vous vraiment capable? dit-il.

– N... non... mais c'est... ce qu'elle a dit... et comment... aurait-elle pu... le ... savoir?

– Elle a menti! dit tranquillement le comte.

– Vous en êtes... sûr?

– Absolument sûr, et je puis même vous dire que c'est exactement ce que l'Amirauté voulait faire croire à Napoléon Bonaparte.

Shenda poussa un soupir de soulagement.

– Me croiriez-vous assez bête, poursuivit le comte, surtout après que vous m'ayez averti, pour confier à lady Gratton le moindre secret susceptible de mettre en danger nos navires et nos marins ?

Il dit ces mots d'un ton de reproche et Shenda cacha de nouveau son visage dans son épaule.

– Pardonnez... moi, murmura-t-elle. Je ... je savais que vous ne le feriez pas... volontairement... mais je pensais que peut-être... elle avait utilisé quelque pouvoir psychique... ou quelque drogue... pour vous faire parler... pendant votre sommeil.

– Elle n'a rien fait de tel, dit le comte. Et maintenant racontez-moi la fin de l'histoire.

Shenda se sentait tellement soulagée qu'elle fut capable de lui narrer la suite clairement et sans bafouiller. Sa voix ne trembla qu'au moment de répéter la phrase en français entendue sur le pas de la porte et qui la condamnait à mort. D'une voix presqu'inaudible, elle murmura :

– J... je ne veux... pas... mourir !

– Ne vous inquiétez pas, dit le comte.

– V... Vous me... sauverez ?

– Que voudrais-je faire d'autre ? demanda-t-il, alors que vous avez été si remarquable, si totalement extraordinaire ?

– Savez-vous... qui est... l'espion ?

– Non seulement je sais qui il est, mais c'est lui qui va mourir, et non vous, ma chérie !

Shenda leva les yeux en entendant ces derniers mots. Il sentit son corps se raidir contre lui tandis que ses yeux agrandis semblaient occuper tout son visage.

– Qu... qu'avez-vous... d... dit? demanda-t-elle d'une voix si faible qu'il l'entendit à peine.

– Je vous ai appelée ma chérie, répliqua le comte, parce que je vous chéris depuis longtemps déjà, bien que je n'aie pas voulu l'admettre. Je vous aime, Shenda, et je veux connaître vos sentiments à mon égard.

La jeune fille leva son visage vers lui et leurs lèvres se rencontrèrent. Il l'embrassa, ainsi qu'il l'avait déjà fait auparavant, mais cette fois ses baisers étaient différents, possessifs, exigeants, comme s'il la voulait toute et craignait en même temps de la perdre.

Pour Shenda les cieux s'étaient entr'ouverts et les étoiles descendaient une à une dans son cœur. Sous ses baisers montait en elle une sensation qu'elle avait déjà connue dans le bois, mais que son amour rendait mille fois plus violente et merveilleuse. Plus il l'embrassait, plus elle se donnait à lui, de tout son cœur et aussi de toute son âme. Quand il releva enfin la tête, elle murmura des mots sans suite avec un sourire d'extase qu'il n'avait jamais connu à aucune femme auparavant :

– Je vous aime... je... vous aime! Mais comment... se fait-il... que vous m'aimiez?

– Cela m'est très facile, répondit le comte en souriant, et je vous promets, mon adorée, que rien désormais ne peut plus vous arriver. Je ne vous exposerai jamais plus aux grands dangers qui vous ont fait si peur !

– Mais... je voulais... vous aider.

– Vous l'avez fait, je le sais, c'était incroyablement courageux de votre part, mais vous devez maintenant me laisser agir rapidement, afin de ne pas offrir à ce suppôt de Napoléon la moindre chance de s'échapper.

Shenda réfléchit un moment, et parut se forcer à oublier les baisers du comte pour revenir aux réalités de l'heure en disant :

– Quand... j'ai quitté la maison... j'ai laissé la porte ouverte... et ils vont voir... que je ne suis pas rentrée.

Les bras du comte l'enserrèrent plus étroitement, comme pour la protéger d'un nouveau péril. Puis il se leva, et à l'expression résolue qui se lisait sur son visage elle comprit qu'il passait à l'action.

– Je vais vous conduire en haut, dit-il, et vous allez vous mettre au lit. Vous y serez en sécurité car je chargerai mon valet de chambre, qui était en mer avec moi, de veiller sur vous et d'assurer votre protection.

– Vous me... quittez ? dit Shenda d'une voix éteinte.

– Je vais de ce pas chez lord Barham pour

l'informer que vous avez résolu son problème. Il prendra les mesures qui s'imposent et...

Il s'arrêta.

– Entre-temps, dit-il comme pour lui-même, ce démon pourrait s'échapper!

Il y avait dans sa voix quelque chose qui effraya la jeune fille.

– Qu... qu'allez-vous... f... faire? demanda-t-elle.

Le comte ne répondit pas, sortit de la pièce, alla dans le vestibule et marcha droit sur le valet de pied qui, à son approche, se leva précipitamment de sa chaise capitonnée.

– Réveillez tout le monde, ordonna le maître de maison, et dites-leur de s'habiller immédiatement. Il n'y a pas une minute à perdre!

C'était le ton d'un homme habitué à commander. James courut aussitôt vers l'office par le couloir qui donnait aussi sur les chambres des serviteurs. Entre temps Shenda avait rejoint le comte et se tenait debout à côté de lui. Il prit sa main pour gravir les escaliers et la conduire le long du corridor jusqu'à la grande chambre qui devait être en temps ordinaire celle du maître de céans. C'était une pièce de grandes dimensions, mais nullement comparable aux appartements occupés par le comte au château. Un petit homme nerveux en qui Shenda reconnut tout de suite un marin, s'y trouvait. Il sauta sur ses pieds dès que le comte entra dans la pièce.

– Hawkins, dit ce dernier, miss Shenda est en danger de mort. Elle dormira dans mon lit jusqu'à mon retour. Prenez votre pistolet et abattez toute personne qui tentera de s'introduire ici pour lui faire du mal. Compris?

– Compris, M'sieur le comte, répliqua Hawkins.

Le comte se tourna vers Shenda.

– Je vous promets qu'ici vous êtes en sécurité.

– Prendrez-vous... soin... de... vous-même?

Elle fut soudain prise de désespoir à la pensée qu'il pourrait lui arriver malheur. Il lui sourit, mais sans lui laisser le temps d'en dire davantage il sortit de la pièce et elle l'entendit dévaler les escaliers pour retourner dans le vestibule. Elle était sûre qu'à cette heure tous les hommes valides de la maison étaient rassemblés dans l'attente de ses instructions. Restée seule, ne sachant où aller car elle ne pouvait pas le suivre, elle se sentit brusquement perdue et resta debout au milieu de la chambre à contempler le grand lit à baldaquin, avec ses courtines de brocart et les armes des comtes d'Arrow brodées sur la courtepointe.

– Allez, mademoiselle, il faut vous mettre au lit, dit Hawkins. N'vous faites pas de souci, Sa Seigneurie sait ben prend' soin d'elle, comme elle a toujours pris ben soin d' nous aut's, d'puis qu'on navigue ensemble.

– Supposons... supposons que... le Français... l'abatte? dit Shenda d'une toute petite voix.

Hawkins sourit.

– Vous pouvez parier vot' dernier sou qu' Sa Seigneurie s'ra l' premier à l' descendre. Allons venez, mademoiselle, les ordres sont les ordres, et pas question de désobéir à Sa Seigneurie!

Shenda ne put s'empêcher de faire entendre un petit rire. Elle n'éprouva aucune gêne quand Hawkins tira les couvertures pour l'aider à se coucher. Il se conduisait exactement comme autrefois sa nounou.

– Maintenant, si vous n' vous sentez pas tranquille, dit-il, j' vais m'asseoir juste derrière vot' porte avec mon pistolet chargé, et si y en a seul'ment un qui montre le bout de son nez, y prendra un' volée d' plomb en pleine poitrine! J' suis bon tireur, même si j' devrais pas m'en vanter!

Shenda eut un pauvre sourire.

– Merci... je suis sûre... qu'il ne m'arrivera rien.

Hawkins souffla les chandelles et marcha vers la porte d'un pas décidé.

– Bonne nuit, mademoiselle. Dieu nous donn' bon vent pour demain!

Il devait avoir souvent dit la même chose au comte lorsqu'ils étaient en mer. Elle ferma les yeux en pensant à lui et à ses bras qui l'enlaçaient, tandis que leurs lèvres échangeaient de nouveaux baisers.

– Je l'aime... je l'aime! murmura-t-elle.

Elle prit alors conscience que s'il l'aimait en retour ainsi qu'il l'avait dit, son rêve était devenu réalité. Mais elle n'était pas encore bien sûre de ne pas rêver.

CHAPITRE VII

Suivi de sa petite armée improvisée, le comte revint en triomphe à Berkeley Square. Le jour s'était levé et les rues étaient déjà pleines de gens commençant leur journée de travail. Le comte qui conduisait en personne sa berline arrêta ses chevaux, la porte s'ouvrit et les hommes sortirent de la voiture. Bien qu'ils n'eussent pas dormi de la nuit ils avaient les joues enflammées et leurs yeux brillaient d'excitation. En pénétant dans sa maison, le comte savait qu'ils se souviendraient toute leur vie de cette nuit-là.

Quand il avait laissé Shenda sous la garde de son valet il était redescendu dans le vestibule. Les hommes accourus là sur son ordre le regardèrent avec appréhension. D'une voix calme, il leur dit clairement ce qu'il attendait d'eux, sachant que comme sur son navire il lui suffisait de demander des volontaires pour s'apercevoir qu'ils étaient tous prêts à se faire tuer en service commandé. Il chargea le plus jeune de réveiller les cochers pour leur dire d'amener sa berline devant la maison de lady Gratton par un chemin détourné. Il se lança ensuite à travers Berkeley Square en compagnie des six hommes restants dont trois, qui avaient toute sa confiance, étaient armés. Comme il l'avait espéré, les conducteurs de la voiture du comte de Beauvais sommeillaient à demi sur leur siège et ne remarquèrent pas les arrivants qui se présentaient par petits groupes, trois d'un côté, deux de l'autre, et deux autres encore un peu en arrière. C'est seulement lorsque le comte et Carter pénétrèrent dans la maison dont la porte était toujours ouverte que le cocher surpris leva la tête. Il fut au même instant jeté à bas de son siège, tandis que de l'autre côté du véhicule le laquais subissait un sort identique. Le comte gravit les escaliers sans faire le moindre bruit en se félicitant de connaître les lieux, bien qu'il ne fût pas particulièrement fier de ses visites précédentes. Carter le suivit. C'était un homme qui avait dépassé la cinquantaine mais qui ne paraissait pas son âge. Il avait été valet de pied au château avant de devenir maître d'hôtel de la maison des Arrow à Londres. Le comte atteignit la porte de la chambre et attendit que Carter l'eût rejoint pour y pénétrer brusquement pistolet au poing. Terrifiée, lady Gratton poussa un cri aigu. Le comte permit à monsieur de Beauvais de se vêtir et ordonna ensuite à Lucille d'en faire autant. Elle sanglotait et le suppliait de l'épargner mais il ne la regarda même pas. C'est seulement quand monsieur de Beauvais, le visage assombri de crainte et de fureur, fut prêt que le comte dit sèchement :

– Votre Seigneurie pourra s'habiller seule, mais je vous avertis que cette pièce n'a d'autre issue que la porte. Mon assistant vous attendra derrière celle-ci pour prévenir toute tentative de fuite.

– Où m'emmenez-vous ? Qu'allez-vous faire de moi ? Comment osez-vous vous conduire aussi cruellement avec une personne de mon rang ? hurla Lucille.

Le comte ne daigna pas répondre, et se contenta de forcer monsieur de Beauvais à descendre le premier, un pistolet pointé sur la nuque. Au rez-de-chaussée deux valets de pied qui attendaient, lièrent, sur l'ordre du comte, les mains du prisonnier derrière son dos et lui entravèrent les jambes à l'aide d'une corde qu'ils avaient apportée avec eux. En jetant un coup d'œil au-dehors, le comte eut la satisfaction de constater que sa berline était arrivée conformément à ses instructions. Cocher et laquais se tenaient droits sur leur siège, les yeux brillant de curiosité. Sachant que le prisonnier tenterait sûrement de les acheter, le comte le fit bâillonner par un de ses hommes. Il vérifia que le bâillon était assez serré pour empêcher le Français de proférer la moindre parole. Il fut ensuite placé sur le siège arrière de la berline et le comte fit asseoir en face de lui un homme armé avec pour mission d'abattre la captif à la première tentative d'évasion. Puis il retourna dans la maison au moment où Lucille, toujours en larmes, descendait à son tour l'escalier. Elle se mit à plaider sa cause mais il l'interrompit d'un geste de la main en disant d'une voix inflexible :

– Madame, je crains d'avoir à vous faire attacher les mains pour vous empêcher d'aider votre complice à s'enfuir.

– Il n'est pas mon complice, hurla-t-elle. Il a employé la force pour me contraindre à agir selon sa volonté. Je déteste les Français ! Je sais qu'ils sont nos ennemis, mais il était le plus fort et je ne suis qu'une faible femme !

Le comte ne se donna pas la peine de répondre, et se contenta d'observer l'homme qui liait soigneusement les poignets de la prisonnière afin de la priver totalement de l'usage de ses mains. Il fit ensuite monter le cocher et le laquais de monsieur de Beauvais dans la berline de celui-ci et les plaça sous la garde de deux hommes. Il ordonna enfin à ses propres serviteurs de monter sur le siège de cette voiture, se réservant de conduire lui-même la sienne. Visiblement surpris ils obéirent néanmoins et il partit au grand galop, Carter à son côté, tandis que le reste de la troupe s'entassait sur le siège de la berline du Français. Les rues étaient vides mais la lune les éclaira pendant le trajet jusqu'à la Tour de Londres qui fut atteinte en un temps record. Il envoya quérir dès leur arrivée le lieutenant-gouverneur de la Tour que l'on dut tirer de son lit. C'était un homme d'un certain âge qui avait été en son temps le meilleur des généraux. Il écouta le récit du comte avec la plus grande attention avant de répondre :

– Je ne doute pas que lord Barham, qui se trouve être de mes amis, soit fort reconnaissant à Votre Seigneurie de ce qu'elle a fait. Les espions de Bonaparte sont partout, à ce qu'on me dit. Celui-ci sera exécuté après un procès en bonne et due forme et le plus tôt sera le mieux!

– C'est bien ce que je pensais, dit le comte.

Le lieutenant-gouverneur hésita.

– Et lady Gratton?

– Je suis d'avis, après son procès bien entendu, de la faire interner jusqu'à la fin de la guerre, à titre d'exemple pour celles qui seraient tentées de l'imiter.

– Je suis tout à fait d'accord avec vous! s'écria le lieutenant-gouverneur. En dépit du comportement des Français un bon Anglais répugne toujours à tuer une femme!

– Cela vaudrait probablement mieux pour elle que d'être mise au ban de la société jusqu'à la fin de ses jours! remarqua le comte.

Comme il n'avait pas envie de s'appesantir sur le cas de Lucille il changea promptement de sujet :

– J'ai aussi amené deux hommes, un cocher et un laquais, qui conduisaient la voiture de monsieur de Beauvais.

– Croyez-vous qu'ils aient quelque chose à voir avec les agissements de cet infâmes conspirateur? demanda le lieutenant-gouverneur.

– Cela me paraît très peu probable, répliqua le comte, mais ils connaissent ses allées et venues ainsi que les personnes, surtout les femmes, avec qui il se tient en contact. Si nous avons de la chance ils nous donneront les adresses d'autres espions comme lui, ou mieux encore, de ceux qui acheminent les renseignements jusqu'en France.

– Vous avez sans aucun doute raison, monsieur le comte, dit-il. Nous les interrogerons le plus tôt possible afin de ne pas laisser aux complices de monsieur de Beauvais le temps de s'inquiéter de son absence.

Les deux hommes se serrèrent la main et les soldats emmenèrent les prisonniers séparément. Le comte ordonna à son cocher de faire reculer la voiture de monsieur de Beauvais dans la cour intérieure, dit à ses hommes de monter dans la sienne et s'en alla. A cette heure les étoiles s'éteignaient une à une et l'aube naissante blanchissait l'horizon. Le comte se rendit d'abord à l'Amirauté. Les sentinelles virent arriver la berline avec étonnement mais ne s'interposèrent pas lorsque Carter descendit du siège pour s'approcher de la porte d'entrée gardée par deux valets de pied. Un officier de service apparut dès que le comte demanda audience à lord Barham. Quelques phrases brèves suffirent à le convaincre d'aller immédiatement réveiller le Premier Lord. Peu de temps après, celui-ci rejoignit le comte dans la salle d'attente du rez-de-chaussée. Il avait passé une longue robe de chambre pardessus sa chemise de nuit, mais paraissait malgré son âge aussi énergique et alerte que jadis sur le gaillard arrière de son vaisseau.

– Les nouvelles sont bonnes ou mauvaises, Arrow? interrogea-t-il en entrant dans la pièce. Il faut qu'elles soient sensationnelles pour vous amener ici à cette heure indue.

Le comte fit une pause pour ménager son effet.

– My Lord, dit-il je viens juste de conduire à la Tour de Londres le comte Jacques de Beauvais, votre premier secrétaire!

*
* *

Le comte ne s'attarda pas à l'Amirauté car il voulait retourner auprès de Shenda. Il se contenta de faire à lord Barham un bref résumé des événements, promit de revenir dans la matinée, et fit prendre à son attelage le chemin de Berkeley Square. Il était à peine entré dans le vestibule de sa maison qu'il dit à ses serviteurs assemblés autour de lui :

– Cette nuit l'empereur des Français a subi une défaite, mais il y a malheureusement d'autres espions parmi nous, et je vous ordonne de garder un silence absolu sur les événements dont vous avez été les acteurs ou les témoins. Parlez-en le moins possible, même entre vous!

Voyant le désappointement se lire sur les visages il se hâta d'ajouter :

– Vous avez fait de l'excellent travail et je n'en attendais pas moins de vous, mais si nous devons un jour recommencer, ce serait une grave erreur de laisser à notre gibier, qui est plus rusé qu'un serpent, la moindre chance de nous échapper.

Il vit que les hommes comprenaient le sens de ce message et poursuivit :

– A partir de maintenant bouche cousue, oreilles aux aguets et yeux grand ouverts, voilà votre devise, pour le salut de l'Angleterre.

L'expression résolue qui se lisait sur les visages le rassura complètement. Ensuite il se hâta de remonter à l'étage pour trouver Hawkins assis, pistolet en main et l'œil vigilant sur le seuil de la chambre à coucher. Sans parler il sourit à l'homme et ouvrit silencieusement la porte. Malgré les rideaux tirés la lumière était suffisante pour lui permettre d'apercevoir Shenda qui dormait paisiblement. Elle paraissait toute petite au milieu du grand lit, et ses cheveux répandus sur l'oreiller accentuaient encore la jeunesse et l'innocence de ses traits. Le comte la regarda pendant de longues minutes avant de sortir de la pièce à pas de loup, fermant soigneusement la porte derrière lui.

***

La jeune fille s'éveilla lentement, croyant sortir d'un long sommeil. Puis elle se mit à penser au comte et fut instantanément sur le qui-vive. Elle s'assit sur le lit, se rappelant tout à coup qu'elle était installée dans la chambre du maître de maison, et que celui-ci était parti à la rencontre de son dangereux adversaire Jacques de Beauvais. S'il n'était pas encore de retour, c'était peut-être parce que ce dernier avait frappé le premier et qu'à cette heure le comte gisait quelque part blessé ou peut-être mort !

Cette perspective était si insupportable qu'elle poussa un petit cri, et la porte s'ouvrit aussitôt. Hawkins passa la tête par l'ouverture pour demander :

– Êtes-vous réveillée, miss Shenda ? C'est l'heure de votre petit déjeuner.

– Sa Seigneurie... est-elle de retour ? Avez-vous... de ses nouvelles ? s'enquit la jeune fille haletante.

Hawkins entra.

– Sa Seigneurie est ben rentrée, gaie comme un pinson après sa grande victoire, et malgré c'qu'i' m'dit... j'vas l'laisser dormir.

Shenda fut tellement soulagée que des larmes jaillirent de ses yeux et qu'elle se tourna vers la pendule pour cacher au marin son émotion.

– Quelle... heure... est-il?

– Presque dix heures, mademoiselle. Sa Seigneurie n'est rentrée qu'après sept heures.

– Qu'a-t-il bien pu faire tout ce temps-là? demanda-t-elle.

– J'suppose que Sa Seigneurie vous l'dira elle-même, repartit Hawkins. J'vais quérir vot'petit déjeuner.

Il disparut et Shenda se laissa retomber sur ses oreillers.

Le comte était sain et sauf!

Même si les circonstances restaient encore mystérieuses, monsieur de Beauvais ne lui avait pas fait de mal, et tant qu'elle se trouvait dans cette chambre elle aussi était en sécurité.

– Je l'aime, murmura-t-elle, mais... bien qu'il ait dit... qu'il m'aimait... peut-être est-ce parce que j'étais si bouleversée... l'autre nuit... qu'il a seulement voulu... me réconforter.

Elle essaya de calmer la fièvre qui montait en elle et pourtant son cœur chantait.

A son tour le comte sortit de son sommeil, s'aperçut qu'il n'était pas dans son lit, et les événements lui revinrent en mémoire. Il avait ordonné à Hawkins de l'éveiller à huit heures et demie, alors que la pendule sur la cheminée marquait dix heures passées. Il se dit que l'homme n'avait pas le droit d'enfreindre ses instructions, mais qu'il aurait beau le lui reprocher, l'autre n'en ferait qu'à sa tête, soucieux avant tout du bien-être de son capitaine. Il se leva, agita violemment la sonnette, et Hawkins parut bientôt, portant la petit déjeuner sur un plateau.

– Je vous avais dit de me réveiller à huit heures et demie, dit le comte.

– Allons bon! s'exclama le marin. J'pens' que j'ai dû m'tromper, à rester de quart toute la nuit pendant qu'Vot'Seigneurie vadrouillait en ville, et qu'j'ai sûrement mal compris l's instructions d'Vot'Seigneurie!

Tout en parlant il déposa le plateau sur une table près de la fenêtre au moment où un valet de pied entrait avec d'autres plats, ce qui empêcha le comte d'en dire davantage. Il s'enquit alors en enfilant sa robe de chambre :

– Miss Shenda va bien?

– J'viens juste d'lui porter son p'tit déjeuner, M'sieu le comte. Elle se f'sait du souci au sujet d'Vot Seigneurie. J'ai rassuré la jeun'dame en lui disant qu'vous étiez d'retour sain et sauf, grâce à Dieu!

Il sortit de la pièce sur ces mots, et le comte finit par abandonner toute idée de réprimande. Après un petit déjeuner reconstituant suivi d'un bain, il s'habilla et apprit, toujours par Hawkins, qu'on avait conduit Shenda dans une pièce où elle aurait tout loisir d'endosser ses vêtements.

Elle pensait n'avoir à sa disposition que le peignoir de laine et la chemise de nuit qu'elle portait au moment de sa fuite précipitée de chez lady Gratton. De fait, en entrant dans sa chambre elle trouva Mrs. Davison qui l'attendait à côté de sa malle à demi défaite.

– Où étiez-vous donc, miss Shenda? demanda l'Intendante. Quand j'ai su que vous étiez là depuis hier, j'ai pensé que vous auriez pu avoir besoin de moi!

– Vous êtes ici et c'est le principal, répondit la jeune fille évasivement. Mais comment vous êtes-vous débrouillée pour faire venir ma malle?

– Elle vient tout juste d'arriver, miss Shenda, dit Mrs Davison. C'est M'sieu Carter qui l'a envoyé chercher, voyant qu'sans elle, vous n'auriez rien du tout à vous mettre!

Shenda voyait que l'Intendante mourait littéralement de curiosité, mais elle s'arrangea pour éviter de répondre clairement à ses questions, préférant attendre les déclarations du comte. Elle avait si grand'hâte de le voir qu'elle avait du mal à comprendre ce que disait Mrs Davison. Quand elle fut enfin prête, vêtue de la jolie robe qu'elle s'était confectionnée elle-même, elle courut en bas des escaliers.

Elle avait toujours peur d'avoir vécu en rêve les événements de la nuit précédente. Aujourd'hui la réalité lui apparaîtrait peut-être bien différente.

***

De son côté le comte se posait à peu près la même question. Lorsque Shenda était venue à lui tremblant de frayeur la nuit précédente, il avait tout oublié sauf son charme, la douceur de son corps, et les sensations inhabituelles qu'elle éveillait en lui. La venue du jour avec le retour aux réalités l'obligeait maintenant à se demander s'il pouvait effectivement épouser celle qui n'était après tout que l'une de ses domestiques. Sa qualité de comte d'Arrow, héritier depuis peu de ce titre envié, lui conférait de grandes et nouvelles responsabilités. Toute la famille le considérait désormais comme son chef et son guide, de la même manière qu'autrefois sur mer ses hommes attendaient tout de leur capitaine. Le moindre geste susceptible de ternir un nom aussi respecté que celui des Bow était proprement impensable. Il est vrai que Shenda se comportait en toutes circonstances comme une lady, et qu'il n'avait jamais encore vu autant de grâce et de distinction, naturelle ou instinctive chez une jeune fille.

Mais alors pourquoi était-elle couturière au château ?

Orpheline, elle eût normalement dû se trouver quelque part dans le reste de sa famille, chaperonnée de surcroît par une femme plus âgée.

Pourtant il la désirait de toutes les fibres de

son être. L'amour qu'il s'était avoué pour elle la nuit précédente balayait comme une lame de fond tous ses autres sentiments. Il savait qu'il n'avait jamais éprouvé à l'égard d'une femme le sentiment qu'il nourrissait pour Shenda. Il était prêt à expédier dans l'autre monde l'homme qui se permettrait d'insulter la jeune fille, mais ne l'insulterait-il pas lui-même en ne lui proposant pas de l'épouser?

« Mon Dieu, que vais-je faire d'elle? » se demanda-t-il en finissant de s'habiller.

Il ne pouvait manquer de voir en descendant l'escalier les portraits de ses ancêtres qui le contemplaient du haut de leurs cadres dorés. Il était probable que les hommes de la famille comprendraient ses sentiments, mais les femmes s'élèveraient certainement contre un mariage qu'elles qualifieraient de *mésalliance*. Shenda risquait de vivre un enfer si on la traitait comme la servante qui a forcé son maître à l'épouser.

Il traversa le vestibule, sachant qu'il la trouverait dans le bureau où elle était venue le chercher la veille au soir. Quand il ouvrit la porte, il l'aperçut debout près de la fenêtre avec le soleil qui se jouait dans sa chevelure. Son cœur battit à coups redoublés, et il sut que sans Shenda la vie ne valait pas la peine d'être vécue. Fermant la porte derrière lui il étendit simplement les bras. Elle poussa un petit cri pareil au chant d'un oiseau et se précipita vers lui.

– Vous... êtes... vivant! Vous... êtes... vivant! murmura-t-elle.

– Oui bien sûr, et vous aussi, dit le comte de sa voix grave.

Puis il l'embrassa et le monde cessa de tourner. Il l'étreignait violemment, comme s'il craignait de la voir disparaître. Son cœur émerveillé battait à l'unisson de celui de Shenda qui ouvrit enfin des yeux éblouis.

« Son visage s'éclaire d'une beauté surnaturelle, quasi divine » pensa-t-il.

– Je vous aime! dit-il. Ma chérie, je vous aime!

– I... il ne vous a pas... fait de mal?

– Non, il ne m'a pas fait de mal.

Il n'avait pas l'intention de lui dire qu'il avait surpris Jacques de Beauvais au lit avec Lucille, car il ne voulait pas la choquer, pas plus qu'il ne tenait lui-même à se souvenir de ses rapports dégradants avec cette femme corrompue.

– J'ai... prié... j'ai prié... pour votre salut, disait-elle de sa douce voix. Et puis... je ne sais comment... je me suis endormie!

– Vous étiez épuisée, mon amour, après toutes ces épreuves, dit le comte.

Il la regarda longuement, puis comme malgré lui, finit par demander :

– Quand voulez-vous m'épouser, Shenda, car je sais maintenant que je ne puis vivre sans vous.

– V... voulez-vous... réellement... de moi?

– Plus que tout au monde, répondit le comte.

Il la couvrit à nouveau de baisers exigeants, possessifs, comme s'il ne voulait plus jamais la laisser s'éloigner de lui.

***

Après des moments qui parurent des siècles, le comte entraîna Shenda près de la fenêtre, d'où ils contemplèrent le jardin abondamment fleuri.

– Demain nous rentrerons au château, dit-il d'une voix qui semblait celle d'un autre homme. Le nouveau pasteur nous mariera dans la chapelle. J'ai appris qu'il arrivait aujourd'hui.

– J'eusse aimé... que Papa fût encore... de ce monde, dit doucement Shenda. Comme il eût été heureux... et fier... de célébrer l'office.

– Votre père était pasteur ? demanda le comte un peu distraitement car il pensait toujours aux difficultés qu'allait provoquer ce mariage au sein de sa famille. Il se demandait aussi s'il ne ferait pas mieux d'épouser la jeune fille à Londres où elle était pratiquement inconnue.

Elle le regarda longuement, et finit par dire :

– Avez-vous... réellement... demandé ma main... sans savoir... qui je suis ?

Le comte la serra un peu plus fort contre lui en disant :

– Il m'importe peu de savoir qui vous êtes ou d'où vous sortez. Je ne sais qu'une chose, Shenda, c'est que vous êtes à moi, et que je vous désire plus que je n'ai jamais désiré aucune femme ou quoi que ce soit d'autre dans ma vie jusqu'ici!

– Quand vous... parlez ainsi, dit la jeune fille, j'ai envie... de pleurer. J'ai toujours voulu... être aimée de la manière... dont mon père aimait... Maman. Mais je pensais que cela... ne m'arriverait jamais.

– Le jour où je vous ai donné un baiser dans le bois, reprit le comte, je vous prenais pour une nymphe, ou pour un lutin sorti des eaux enchantées, ou encore pour quelque déesse ayant pris forme humaine.

Il promena ses lèvres sur la joue soyeuse avant de continuer :

– Depuis ce jour, Shenda, je n'ai cessé de penser à vous, de rêver de vous, et je vous ai donné d'autres baisers, mais je n'ai jamais attaché d'importance à votre nom de famille.

Elle eut un petit rire.

– Personne ne va le croire, mais sachez que je m'appelle Lynd et que mon père fut le pasteur d'Arrowhead pendant plus de dix-sept ans!

Le comte la dévisagea, interdit.

– Si c'était la vérité, pourquoi travailler au château?

– Je... me cachais.

– Vous vous cachiez? De qui donc?

– Je n'ai su où aller le jour Mr Marlow, votre régisseur, m'a dit qu'il avait besoin du presbytère pour y installer le nouveau titulaire de la paroisse.

– Mais comment se fait-il que vous n'ayez pas su où aller?

Le comte se sentait stupide et s'en voulait de ne pas comprendre.

– Je... je n'ai pas... d'argent, dit simplement Shenda. J'en ai parlé... à Mrs Davison... qui m'a permis de venir... m'installer au château... pensant que j'y serais en sécurité... avec elle... et que le jeune comte... ne découvrirait jamais... que je n'étais pas... une vraie domestique.

– Ma chérie, que le Ciel soit loué de vous avoir un jour amenée au château! dit le comte. Je le remercie aussi de vous avoir mise sur mon chemin dans votre bois magique!

– Comment aurais-je pu... savoir ou même deviner que vous étiez... le comte que personne encore... n'avait vu? Mais j'ai pensé... que je n'oublierais jamais... votre baiser.

Elle eut un rire léger.

– Personne ne croira... que tout ceci... est arrivé... parce qu'un inconnu... m'a donné un jour un baiser.

– Un inconnu qui est tombé amoureux fou de vous, sourit le comte. Ce sera une belle histoire à conter à nos enfants.

Shenda rougit et cacha son visage dans le gilet du comte, qui trouva sa modestie tellement adorable qu'il se remit à l'embrasser jusqu'à ce qu'ils fussent tous deux hors d'haleine. Le comte dit alors en relevant la tête :

– Nous ne formons désormais plus qu'un, mon amour, et j'ai le sentiment qu'aucune cérémonie religieuse ne pourrait nous unir davantage.

– N'est-il pas... très doux... d'entendre de telles merveilles? lui demanda Shenda. J'éprouve moi-même... ces sentiments. Je... suis à vous... comme je l'ai toujours été... depuis que vous m'avez donné... ce premier baiser.

– Personne au monde n'est plus brave que vous. Personne ne saurait accomplir davantage pour sa patrie, dit le comte.

Il parlait évidemment des derniers événements, et la sentant trembler contre lui, il se hâta d'ajouter :

– Il est temps d'oublier tout cela. Si jamais je dois faire encore quelque chose pour l'Angleterre, je m'arrangerai pour ne pas vous y mêler.

Shenda eut un petit rire de bonheur.

– Je pense... que si je deviens... votre épouse... il vous sera bien difficile... de me cacher quoi que ce soit. Comment pourrais-je alors... ne pas vouloir rester avec vous... pour vous être utile?

Le comte l'attira sur son cœur.

– Je vous aime! dit-il. Mais je dois aller voir lord Barham à cette heure. Dès que tout sera réglé, s'il ne me garde pas trop longtemps, nous partirons pour le château.

– Et nous serons vraiment... mariés demain? demanda la jeune fille.

– Je suppose qu'il me faut obtenir une licence spéciale, répondit-il.

– Je crois que... si nous résidons tous les deux... dans la même paroisse, ce ne sera pas... nécessaire, dit Shenda d'une voix hésitante, mais vous pourriez... demander au pasteur... pour plus de sûreté.

– J'espère plutôt que quelqu'un de l'Amirauté pourra me fixer sur ce point, répliqua le comte. Je serais fort embarrassé d'avouer que j'ignore jusqu'au nom de mon propre pasteur!

Shenda éclata de rire.

– Tant que vous vous souviendrez de mon nom et du vôtre, tout ira bien.

– Vous m'avez dit vous appeler Lynd, se rappela le comte.

– Shenda Lynd, et Papa chassait le renard avec l'équipage de feu le comte votre père quand sa santé le lui permettait encore. En fait on l'avait même surnommé « le pasteur Nemrod! »

– Je crois me souvenir d'avoir entendu ce nom quand j'étais enfant, remarqua le comte.

Il reprit en regardant la jeune fille :

– Je ne comprends toujours pas comment il peut se faire que vous n'ayez su où aller quand on vous a chassée du presbytère. Vous devez bien avoir de la famille quelque part?

– Mon oncle habite dans le Gloucestershire la

maison où fut élevé mon père, expliqua-t-elle, mais tout lord Lyndon qu'il est, il est... très pauvre... et affligé d'une nombreuse famille. J'ai donc pensé qu'il se passerait bien... de cette charge supplémentaire, d'autant qu'avec Rufus... nous étions deux.

Elle sourit avant de se rendre compte que le comte la dévisageait d'un air étrange.

– Êtes-vous en train de me dire que votre oncle, et donc avant lui votre grand-père, portent le titre de lord Lyndon?

– Mais oui! répondit Shenda. Et de fait mon père était bel et bien « l'honorable James Lynd ». Mais nous n'en étions pas plus riches pour cela, d'autant qu'à la mort de Maman, nous cessâmes de recevoir la petite pension que lui servait sa mère.

Elle poursuivit à voix plus basse :

– Le père de Maman était un Écossais – le Laird de Kintare – et il était absolument furieux parce que ma mère avait épousé un Anglais, ou plutôt un *Sassenach*, comme il disait!

– Voilà une réaction typiquement écossaise, dit le comte en souriant.

Comme une enfant, Shenda enfouit alors son visage contre la robuste poitrine du comte en disant :

– J'ai dû vendre... tous nos meubles... du presbytère... pour payer nos dettes aux commerçants... du village... de sorte que... je suis venue au château... avec quelques livres... qui sont toute ma fortune!

Le comte remarqua qu'elle disait ces mots d'un ton angoissé, comme s'il risquait de s'offenser de son extrême pauvreté. Il lui baisa le front avec douceur en disant du fond de son cœur :

– Ma chérie, vous ne serez plus jamais pauvre. J'ai tant à vous offrir, tant à partager avec vous.

Il éprouvait en même temps un sentiment de gratitude fervente à l'égard de la Providence, qui avait fait de Shenda la nièce de lord Lyndon et la petite-fille d'un laird écossais, filiation que ne pourraient qu'approuver les membres de sa propre famille. Ils n'auraient aucune raison de la mépriser, et il n'était nullement nécessaire de leur faire savoir qu'elle avait un temps été couturière au château. Il comprenait enfin les réticences de Mrs Davison quand elle avait appris que Shenda devenait la femme de chambre de lady Gratton.

« Comment ai-je bien pu me montrer aussi bête? se reprocha-t-il. Que n'ai-je alors pris des renseignements pour chercher à savoir au juste qui était cette jeune fille? »

Puis il se dit que tout cela n'avait plus d'importance. Elle était tout ce qu'il désirait – la femme de sa vie – celle qui lui appartenait, l'autre moitié de lui-même. C'était aussi un être immatériel et pur qui lui avait fait entrevoir la possibilité de toucher les étoiles au plus haut des cieux. Sa grâce et sa beauté embelliraient le château, et leurs enfants – par la grâce de Dieu ils en auraient beaucoup – maintiendraient les traditions familiales. Perspective ô combien exaltante. Ils consacreraient leurs vies au service de l'Angleterre. Il enlaça Shenda plus étroitement encore et ses lèvres trouvèrent les siennes. Au milieu de ses baisers il décida de se vouer entièrement à sa femme autant qu'à son pays. Ensemble, ils pourraient faire le bien autour d'eux en apportant un peu de réconfort aux malheureux.

– Je vous aime! dit-il.

Sa voix vibrait dans le calme de la pièce.

– Comme moi... je vous aime! dit à son tour Shenda. Je suis... si heureuse... si incroyablement heureuse! Je suis convaincue... que Papa et Maman... prennent soin de moi... de là-haut... et ont favorisé notre rencontre.

– Je crois que c'est moi qui vous ai trouvée! dit le comte. Et c'est ce que j'ai fait dans ma vie, non seulement de plus intelligent, mais aussi de plus merveilleux!

Il la regarda encore longuement avant d'ajouter :

– Comment pouvez-vous être aussi parfaite? Comment se fait-il que tout en vous réponde à mes vœux les plus chers et les moins évidents?

– Continuez à penser de la sorte, dit Shenda, et puisse Dieu... me façonner... à votre image... et me garder votre amour... notre vie durant.

– Vous pouvez en être tout à fait assurée, dit le comte. A présent, ma chérie, il me faut vous quitter, sans quoi le Premier lord de l'Amirauté va me tirer les oreilles!

Shenda se mit à rire.

– En aucun cas cela ne doit arriver!

– Je ne puis me résoudre à vous abandonner, dit le comte. Promettez-moi de prendre bien soin de vous jusqu'à mon retour.

– Je... vous le promets, répondit la jeune fille, mais il faut que... je vous demande... encore une faveur.

– Quoi donc?

– Croyez-vous... puisque nous devons nous marier... que je pourrais acheter... une... ou peut-être deux robes... afin que je puisse... me faire belle pour vous?

Le comte éclata de rire.

– Comment ai-je pu oublier qu'une jeune épouse, même enveloppée dans la magie des bois et vêtue de la lumière des étoiles, a toujours besoin d'une robe de mariée?

Sous les yeux étonnés de Shenda il s'écarta pour aller vers le cordon de sonnette qu'il agita vigoureusement. Elle resta muette de surprise jusqu'au moment où la porte s'ouvrit pour laisser passer Carter qui dit d'un air déférent :

– Vous avez sonné, monsieur le comte?

– Qu'on amène tout de suite mon phaéton, dit le comte. Demandez aussi à Mrs Davison de venir ici. Que trois valets se tiennent prêts à porter des messages dans Bond Street.

Carter était trop bien dressé pour témoigner le moindre étonnement.

– Très bien, monsieur le comte, dit-il respectueusement. Il sortit en prenant soin de fermer la porte derrière lui.

Shenda courut vers le comte.

– Que... se passe-t-il? Que faites... vous? demanda-t-elle.

– J'envoie quérir immédiatement les plus grands couturiers de Bond Street, répliqua-t-il. Vous déciderez de ce qu'il vous faut avec Mrs Davison. Choisissez ce dont vous aurez besoin demain et peut-être les deux jours suivants. Le reste suivra en temps voulu.

Shenda eut un sursaut, mais il ajouta aussitôt :

– Ma chérie, ne l'oubliez pas, je suis un homme très riche qui veut que sa femme soit la plus belle comtesse d'Arrow de tous les temps, à tout le moins capable de rivaliser avec la reine de Saba!

Shenda ne put s'empêcher de rire, et dit :

– Je n'arrive pas... à y croire! Je sais que tout ceci n'est qu'un rêve.

– Vous avez raison, répliqua le comte. Je vais faire en sorte que nous n'ayons jamais à nous réveiller!

Avec une fougue irrésistible il se remit à l'embrasser violemment, impérieusement, farouchement. Avec un merveilleux et chaud sentiment de plénitude, elle prit alors conscience du pouvoir qu'elle avait d'enflammer sa passion. Elle retrouvait dans ses baisers une partie de la magie des bois. Au milieu de ses prières les plus ferventes son père et sa mère étaient à ses côtés, partageant avec le comte cet amour qui emplissait son cœur à le faire déborder. C'était un amour divin dispensé généreusement par Dieu qui l'avait prise sous sa protection pour l'unir au comte à jamais, un amour qui se prolongerait au-delà de ce monde jusque dans l'éternité.

DU MÊME AUTEUR

chez le même éditeur

Idylle au Ritz
Ah, l'adorable menteuse!
Coup de foudre à Penang
La Découverte du bonheur
La Sérénité d'un amour
Le Lien magique
Étranges Amazones
La tigresse apprivoisée
Sincère ou tricheuse?

Cet ouvrage a été réalisé par la
SOCIÉTÉ NOUVELLE FIRMIN-DIDOT
Mesnil-sur-l'Estrée
pour le compte de V&O Éditions
en février 1991

Imprimé en France
Dépôt légal: février 1991
N° d'impression : 17102